Selber machen statt kaufen – Küche

Herausgegeben von **smarticular.net**
Das Ideenportal für ein einfaches und nachhaltiges Leben

Selber machen
statt kaufen – Küche

137 gesündere Alternativen zu Fertigprodukten,
die Geld sparen und die Umwelt schonen

Herausgegeben von **smarticular.net**
Das Ideenportal für ein einfaches und nachhaltiges Leben

Auch als
E-Book
erhältlich

Herausgeber: smarticular Verlag

ISBN: 978-3-946658-03-0

ISBN E-Book mobi: 978-3-946658-04-7

ISBN E-Book epub: 978-3-946658-05-4

smarticular Verlag ist ein Imprint der Business Hub Berlin UG (haftungsbeschränkt)

© 2017 Business Hub Berlin UG (haftungsbeschränkt), Berlin

smarticular® ist eine Marke der Business Hub Berlin UG (haftungsbeschränkt)

1904

Unserer Umwelt zuliebe wurde dieses Buch auf umweltfreundlichem Recyclingpapier gedruckt, ausgezeichnet mit dem FSC®-Zertifikat für Papier aus Recyclingmaterial, dem Blauen Engel (RAL-UZ 14/19487) und dem EU-Ecolabel.

Gedruckt in Deutschland von DRUCKZONE GmbH & Co. KG, Cottbus

Urheberrecht

Haftungsausschluss

Alle Rezepte und Tipps in diesem Buch wurden nach bestem Wissen erstellt. Für die Richtigkeit und Vollständigkeit der Rezepte, Anleitungen und Tipps kann jedoch keine Haftung übernommen werden. Des Weiteren wird keine Haftung übernommen für fehlerhafte Zubereitung und Anwendung, auch nicht für Gesundheitsschäden durch unsachgemäße Handhabung. Die Anwendungen und Rezepte in diesem Buch bieten keinen Ersatz für eine therapeutische oder medizinische Behandlung. Im Zweifelsfall sollte ein Arzt zu Rate gezogen werden.

Inhalt

Einleitung

Wie viel Gemüse gehört eigentlich in eine Gemüsebrühe, damit man sie überhaupt noch so nennen kann? In der pulverförmigen, klaren Gemüsebrühe eines namhaften Herstellers sind gerade mal 4,2 Prozent Gemüse enthalten, dafür jede Menge Geschmacksverstärker, Aromastoffe und Füllstoffe – kein Einzelfall, sondern die Regel, wenn man sich typische Supermarktprodukte ansieht. Die Regale sind voller industrieller Fertigprodukte mit langen Zutatenlisten, größtenteils aus Begriffen bestehend, die niemand aussprechen kann.

Die Produkte sind optimiert für maschinelle Verarbeitung, Lagerung, Transport und für eine möglichst große Gewinnmarge. Sie enthalten immer weniger von dem, was wir für eine ausgewogene, vollwertige Ernährung eigentlich brauchen, dafür immer mehr Zucker, Salz, Fett und synthetische Zusatzstoffe. Zudem entsteht immer mehr Müll, weil beinahe alles in Plastik verpackt wird, oft sogar portionsweise verschweißt zum sofortigen Gebrauch.

Auf der Suche nach Alternativen zum Massenkonsum-Wahnsinn, zu Kaffeekapseln, künstlichem Essen, Ressourcenverschwendung und Umweltverschmutzung haben wir viele einfache und nachhaltige Lösungen gefunden. Begonnen hat alles mit selbst gemachtem Waschmittel und Deodorant (was überraschend einfach geht!). Nach kurzer Zeit hatten wir unseren gesamten Haushalt auf den Kopf gestellt und dabei festgestellt, dass wir die meisten Supermarktprodukte gar nicht brauchen.

Die besten Alternativen sammeln wir auf dem **Ideenportal smarticular.net für ein einfaches und nachhaltiges Leben**. Unsere engagierte, stetig wachsende Fangemeinschaft begeistert uns mit immer neuen Ideen und Verbesserungsvorschlägen, die oftmals schon unseren Großeltern bekannt waren, aber zunehmend in Vergessenheit geraten.

In unserem ersten Buch **Fünf Hausmittel ersetzen eine Drogerie** sind die besten Anwendungen und Rezepte rund um die fünf umweltfreundlichen Hausmittel Natron, Soda, Essig, Zitronensäure und Kernseife enthalten, mit denen du auf einfache Weise Geld sparen und zugleich die Umwelt schonen kannst.

Doch auch oder ganz besonders in der Küche lohnt sich das Selbermachen! Unsere liebsten Rezepte und Ideen für selbst gemachte Alternativen zu konventionellen Fertigprodukten haben wir in diesem Buch zusammengestellt. Das sind die Gründe, warum es sich lohnt, all diese Dinge **nicht mehr zu kaufen, sondern am besten selber zu machen**:

- **Gut für die Gesundheit:** Statt ungesunder und künstlicher Inhaltsstoffe enthalten die selbst gemachten Alternativen natürliche Zutaten. Manche wachsen sogar direkt vor deiner Haustür und sind vollgepackt mit Vitalstoffen für eine ausgewogene, gesunde Ernährung.

- **Gut für die Umwelt:** Selbermachen spart jede Menge Verpackungsmüll und Plastik. Außerdem kannst du bevorzugt regionale, saisonale Zutaten verwenden, mit kurzen Transportwegen und weniger Ressourcenverbrauch.

- **Gut für die Haushaltskasse:** Selbst gemachte Alternativen sind fast immer deutlich preiswerter als fertige Lebensmittel, selbst dann, wenn du nur rein biologische Zutaten verwendest.

- **Gut für dich:** Selbermachen bereitet Freude, regt die Kreativität an, stärkt das Selbstvertrauen und macht dich außerdem ein bisschen unabhängiger.

Bevor es losgeht ...

Bevor du zur Tat schreitest, sollten wir noch etwas Erwartungsmanagement betreiben. Alle Rezepte und Anleitungen in diesem Buch wurden sorgfältig getestet, von Lesern ausprobiert und häufig mit wertvollen Rückmeldungen noch weiter verbessert. Dennoch ist jede Situation etwas anders und jeder Mensch unterschiedlich. Anders als bei Industrieprodukten wurden mit den selbst gemachten Hausmitteln und Alternativen keine aufwendigen Testreihen und Versuche mit allen erdenklichen Materialien und Situationen durchgeführt. Deshalb kann es passieren, dass ein Rezept einmal nicht sofort gelingen oder sogar partout nicht funktionieren will.

Wenn du etwas Neues ausprobierst, beginne am besten mit kleinen Mengen. So gehst du sparsam mit den Zutaten um und kannst die Rezeptur gegebenenfalls leichter an deine Bedürfnisse anpassen.

Falls du unsicher bist, besteht die Möglichkeit, dem Verweis auf smarticular.net unter dem jeweiligen Rezept zu folgen, die Kommentare auf der Website zu lesen oder deine eigenen Fragen zu stellen.

Immer auf dem neuesten Stand

Jeden Tag lernen wir dazu, und genau das ist es, was uns motiviert, das Ideenportal smarticular.net und unsere Bücher immer weiter zu verbessern. Es liegt aber in der Natur eines gedruckten Buches, dass nicht alle Informationen immer auf dem neuesten Stand sind. Deshalb empfehlen wir, dieses Buch mit den Möglichkeiten der Website zu kombinieren. Dies sind nur einige Möglichkeiten dafür:

- Auf der Webseite **smarticular.net/selber-machen-kueche** findest du aktuelle Informationen zu diesem Buch, kannst Anmerkungen, Lob oder Kritik hinterlassen, Fragen an uns stellen und wichtige Verbesserungen zu einzelnen Tipps nachlesen.

- Zu den einzelnen Rezepten in diesem Buch gibt es Verweise auf Online-Beiträge, in denen du aktuelle Informationen und hilfreiche Kommentare anderer Leser erhältst.

- Selbstverständlich freuen wir uns, wenn dich andere Themen auf smarticular.net interessieren. Damit du immer auf dem Laufenden bleibst, empfehlen wir dir, unseren Newsletter zu abonnieren und uns in den sozialen Netzwerken zu folgen.

Wir wünschen dir viel Spaß und Erfolg mit diesem Buch, den Ideen und Rezepten.

Das Team von smarticular.net

Abkürzungen

TL   Teelöffel, entspricht circa 5 Millilitern

EL   Esslöffel, entspricht circa 15 Millilitern

geh.   Gehäufter Teelöffel oder Esslöffel

gest. Gestrichener Teelöffel oder Esslöffel

Tr.   Tropfen, ein Milliliter sind ungefähr 20–25 Tropfen

ml   Milliliter

L   Liter

g   Gramm

kg   Kilogramm

Msp.   Messerspitze

Pck.   Päckchen

Fertigprodukte ersetzen

Haltbare Gemüse-Würzpaste (ohne Kochen)

Handelsübliches Gemüse-Brühpulver besteht oft zu weniger als fünf Prozent aus Gemüse. Stattdessen sind jede Menge Salz, Zucker, Lebensmittelzusatzstoffe und geschmacksverstärkende Mittel (wie etwa Hefeextrakt) enthalten.

Dagegen kommt die folgende, selbst gemachte Alternative ganz ohne künstliche Zusätze aus. Diese haltbare Gemüse-Würzpaste kann ohne unerwünschte Inhaltsstoffe schnell und einfach aus frischen Zutaten zubereitet werden. Da rohes Gemüse verarbeitet wird, bleiben viele Vitamine lange erhalten. Weil die Würzpaste weder gekocht noch getrocknet werden muss, kann sie besonders schnell und energiesparend hergestellt werden.

Fertigprodukte

▶ Gemüsewürze zubereiten

Die Zutatenliste für die Würzpaste ist sehr kurz. Du brauchst eine Auswahl an frischem Gemüse deiner Wahl, dazu 200 Gramm Salz und einen Esslöffel Olivenöl pro Kilogramm Gemüse. Für eine besonders feine Note kannst du je nach Geschmack Knoblauch, Kräuter und weitere Gewürze ergänzen.

Ein sommerlich-mediterranes Aroma bringt diese Mischung in deine Speisen:

300 g	Karotten
250 g	Tomaten
150 g	Paprika
50 g	Champignons
100 g	Sellerie
50 g	Zwiebeln
100 g	Frühlingszwiebeln
2	Knoblauchzehen
200 g	Salz
2–3 EL	frische oder getrocknete Kräuter, z. B. Petersilie, Liebstöckel, Majoran, Thymian, Bohnenkraut und Schnittlauch
1 EL	Olivenöl

Zusätzlich brauchst du noch ein paar Küchenutensilien:

- leistungsfähigen Mixer bzw. Küchenmaschine
- leere Schraubgläser oder Einmachgläser mit Bügelverschluss

Die Würzpaste lässt sich schnell zubereiten, ohne dass du kochen müsstest. Durch die große Menge Salz ist auch das roh verarbeitete Gemüse lange haltbar. Dazu ist es jedoch unbedingt notwendig, sauber zu arbeiten. Gläser und Arbeitsgeräte solltest du zuvor keimfrei machen, zum Beispiel mit Alkohol oder einer heißen Soda-Lösung.

Herstellung der Würzpaste Schritt für Schritt:

1. Gemüse waschen, gut abtrocknen, Schadstellen entfernen und alles grob zerkleinern.

2. In einer Küchenmaschine oder einem leistungsstarken Mixer zu einem feinen Brei pürieren.

3. Salz und Olivenöl zugeben und nochmals gründlich mixen.

4. In vorbereitete Gläser füllen, verschließen und kühl lagern.

Die fertige Würzpaste hält sich bis zu einem Jahr. Wer der rohen Verarbeitung nicht ganz traut, kann den fertigen Brei zusätzlich im Topf unter Rühren zum Kochen bringen und dann heiß in Gläser füllen.

▶ **Anwendung der Würzpaste**

Die selbst gemachte Würzpaste lässt sich in jedem Rezept anstelle fertig gekaufter Gemüsebrühe verwenden. Ersetze dazu jeweils einen Teelöffel Gemüsebrühe bzw. einen Brühwürfel durch einen Esslöffel der Paste zum Salzen und Würzen deiner Speisen.

⊕ *smarticular.net/wuerzpaste*

Gemüse-Brühpulver aus frischen Zutaten

Wer lieber Gemüsepulver statt einer Paste verwendet, ist dank dieses Rezepts nicht länger auf die oft teuren oder ungesunden Fertigpulver angewiesen.

Der Arbeitsaufwand zur Herstellung der Streuwürze oder Gemüsebrühe ist gar nicht so hoch. Für etwa 250 Gramm Pulver benötigst du:

300 g Zwiebeln

50 g Lauch

150 g Möhren

150 g Knollensellerie

300 g Tomaten

½ Bund Petersilie

100 g Salz

13

Natürlich kannst du die Zutaten ganz nach deinem Geschmack variieren. So wird das Würzpulver gemacht:

1. Gemüse waschen und abtrocknen.

2. Gemüsemischung sehr fein hacken oder in der Küchenmaschine zu einem feinen Brei pürieren.

3. Salz sorgfältig untermengen.

4. Die Masse auf ein mit Backpapier ausgelegtes Backblech streichen.

5. Im Backofen bei circa 75 °C Umluft (mittlere Schiene) sechs bis acht Stunden lang trocknen. Alternativ kannst du auch einen Dörrautomaten verwenden. Im Sommer klappt das Trocknen auch an einem sonnigen, windgeschützten Plätzchen ganz ohne Stromverbrauch.

6. Hin und wieder die Backofentür öffnen oder mit einem Kochlöffel einen Spalt breit offen lassen, damit die Feuchtigkeit entweichen kann.

7. Nach dem Trocknen die Masse nochmals in der Küchenmaschine zerkleinern und in ein luftdicht verschließbares Glas füllen. Kühl und dunkel lagern.

Tipp: Viele vermeintliche Küchenabfälle wie Gemüsereste eignen sich ebenfalls, um das Würzpulver herzustellen. Möhrengrün, Radieschen- und Kohlrabiblätter sowie Gemüseschalen oder Strünke vom Kohl sind hervorragend geeignet.

🌐 *smarticular.net/bruehpulver*

Salat-Kräutermischung auf Vorrat statt Tütendressing

Anstatt fertige Kräuter-Mischungen zu verwenden, die weit mehr Zusatzstoffe als Kräuter enthalten, kannst du eine Salat-Kräutermischung mit wenigen Zutaten leicht auf Vorrat herstellen. Mit dem folgenden Rezept gehst du sicher, dass in deinem Salatdressing ab sofort nahezu hundert Prozent Kräuter enthalten sind.

Besonders gut eignet sich diese Methode, wenn der Herbst bevorsteht und du noch viele frische Kräuter hast, die ohnehin aufgebraucht werden müssen. Auch Wildkräuter wie Löwenzahn, Gundermann und Brennnessel sind gehaltvolle

Zutaten für deine Salat-Mischung. Auf den folgenden Seiten findest du auch ein eigenes Rezept für eine Wildkräuter-Salat-Mischung.

Für deine Salat-Kräutermischung benötigst du lediglich:

> viele frische Salatkräuter wie Petersilie, Basilikum, Dill, Schnittlauch oder auch Liebstöckel – ganz nach Geschmack

10–15 g Salz pro 100 g getrocknete Kräuter

1 TL Pflanzenöl pro 100 g

So bereitest du die Mischung zu:

1. Alle Blätter samt Stängel auf einem Küchentuch oder Backblech ausbreiten und schonend trocknen.

2. Wenn die Kräuter völlig durchgetrocknet sind (das merkst du, wenn sie in deiner Hand „rascheln" und sich mit den Fingern zerreiben lassen), im Mixer zu feinem Pulver zerkleinern. Alternativ kannst du auch frische Kräuter klein schneiden und dann trocknen.

3. Kräuter, Salz und Öl in ein Schraubglas füllen und mit einem Löffel so lange durchrühren, bis eine gleichmäßige Konsistenz entstanden ist. Durch das Öl bilden sich zuerst kleine Klumpen. Sobald es gut verteilt ist, sorgt das Öl dafür, dass sich Salz und Kräuter gut mischen und nicht stauben.

4. Trocken und lichtgeschützt aufbewahren.

Nach Belieben kannst du auch getrockneten Knoblauch, Kurkuma, Paprika, zerstoßene Senfsaat, Pfeffer und weitere Gewürze hinzufügen.

So verwendest du die Kräutermischung:

1. Ein paar Teelöffel des Kräutervorrats mit etwas Öl, Essig und einer Süße deiner Wahl in eine Schüssel geben und kräftig umrühren.

2. Die Soße ein paar Minuten lang ziehen lassen.

3. Kurz vor dem Servieren über den Salat geben.

▶ Dressing der wilden Variante

Für dieses Rezept brauchst du noch nicht einmal Geld für Küchenkräuter auszugeben, denn die folgenden, schmackhaften Kräuter wachsen fast überall kostenlos in der freien Natur. Die Kräutermischung wird genauso wie beim vorherigen Rezept hergestellt. Beim Sammeln von Wildpflanzen solltest du aber auf bestimmte Dinge achten. Beispielsweise sollten Kräuter nicht direkt neben der Straße, auf überdüngten Wiesen oder Hundeauslaufgebieten geerntet werden.

Bereits ab März zeigen sich viele der grünen Pflänzchen, und das Sammeln kann losgehen. Wenn du nicht weißt, wie die essbaren Pflanzen aussehen, nimm ein Erkennungsbuch zu Hilfe oder nimm an einer Kräuterwanderung in deiner Nähe teil.

Folgende Wildkräuter eignen sich besonders gut:

- Spitzwegerich (herb-würzig, leicht bitter)
- Brennnessel (leicht nussig)
- Gundermann (herb)
- Löwenzahn (kräftig, leicht nussig)
- Giersch (intensiv, ähnlich wie Petersilie und Karotte)
- Vogelmiere (mild, wie Kopfsalat)
- Franzosenkraut (würzig)

Tipps zum Kräutersammeln:

- Junge Blätter bevorzugen.
- Trockene Blätter mit einem Messer oder den Fingern abknipsen.

- Nicht an Regentagen ernten, die Kräuter verlieren sonst an Aroma und schimmeln leicht.

- Von jedem Kraut etwa zwei Hände voll sammeln.

Im Herbst gesammelte Samen der Brennnessel ergänzen das Wildkräuterdressing um eine nussige Note. Trockne die Samenstände auf einem Küchentuch, siebe die Stängel heraus und füge die Samen zu deiner Wildkräutermischung hinzu.

⊕ *smarticular.net/salatkraeuter*

Soßenbinder-Alternativen

Für die meisten gehören Soßenbinder von Mondamin & Co. ganz selbstverständlich in die Küche. Dabei ist das Fertigprodukt in Pulverform nicht nur unnötig teuer, sondern auch erstaunlich einfach durch viel bessere Alternativen zu ersetzen.

Anstatt zu den kleinen Kartons zum Binden heller oder dunkler Soßen, Suppen und Eintöpfe zu greifen, probiere es doch beim nächsten Mal mit einer der folgenden Alternativen! Du wirst überrascht sein, wie gut das Binden und Andicken damit gelingt. Nebenbei sparst du auch noch Geld und vermeidest künstliche Zusätze in deinen Speisen.

▶ 1. Semmelbrösel

Einfache Semmelbrösel funktionieren bereits ausgezeichnet zum Binden. Rühre dazu einfach ein bis zwei Esslöffel der Brösel in 250 Milliliter Kochflüssigkeit ein, und lass sie für zwei bis drei Minuten unter Rühren aufkochen. Brösel aus dunklem Brot oder Vollkornbrot eignen sich ebenso gut wie helle Semmelbrösel. Für eine glattere Soße ist es empfehlenswert, die Brösel zuvor im Mixer oder in einer Gewürzmühle zu feinem Pulver zu zerkleinern.

Auf diese Weise kannst du auch gleich trockene oder alte Brotreste sinnvoll verwerten. Wirf den liegen gebliebenen Kanten nicht weg, sondern schneide ihn in Stücke, und lass ihn richtig hart werden. Im Mixer wird daraus erstklassiger Soßenbinder. So vermeidest du Lebensmittelverschwendung und hast immer einen Soßenbinder-Vorrat im Haus. Für noch mehr Geschmack gib Gewürze und Kräuter hinzu, oder stelle gleich ein fertiges Instant-Soßenpulver daraus her (siehe Seite 19)!

▶ 2. Reis oder Reismehl

Du hast keine Semmelbrösel im Haus, dafür aber Reis? Dann verwende doch einfach die weißen Körnchen zum Binden! Gib dazu die benötigte Menge Reis (am besten funktioniert Milchreis) in den Mixer, und mahle ihn zu feinem Reismehl. Eine größere Menge Reis kannst du auch auf Vorrat zu Soßenbinder verarbeiten und in einem Schraubglas aufbewahren.

Zum Binden streue zwei bis drei Teelöffel des geschmacksneutralen Reismehls in 250 Milliliter Soße, und lass sie aufkochen. Das Andicken dauert etwas länger, nach mindestens fünf Minuten sprudelndem Kochen ist die Soße gebunden. Mit fertigem Reismehl klappt es natürlich genauso.

▶ 3. Speisestärke

Die Hauptzutat in handelsüblichem Soßenbinder ist Speisestärke, wegen ihrer Fähigkeit, Flüssigkeiten anzudicken und zu binden. Deshalb kannst du Stärke auch direkt als Bindemittel verwenden. Sie ist vor allem dann empfehlenswert, wenn die Soßengrundlage selbst schon reichlich Geschmack mit sich bringt. Verwende zwei bis drei Teelöffel der geschmacklosen Kartoffel- oder Maisstärke, um 250 Milliliter Flüssigkeit zu binden.

Um Klümpchen zu vermeiden, wird das Pulver zunächst mit wenig Flüssigkeit zu einem glatten Brei vermengt und dann unter Rühren in die Soße gegeben. Nach zwei bis drei Minuten sprudelnden Kochens hat die Stärke ihre Bindewirkung vollständig entfaltet.

▶ 4. Rohe Kartoffeln

Eine weitere Soßenbinder-Alternative zum Selbermachen sind rohe Kartoffeln, die ebenfalls reichlich Stärke enthalten. Reibe dafür eine mittelgroße Kartoffel möglichst fein, und lass den Brei für einige Minuten im eigenen Saft stehen. Rühre ihn anschließend in die Soßengrundlage ein, und lass alles mindestens eine Minute lang kochen.

▶ 5. Mehlschwitze

Natürlich kannst du auch ganz traditionell eine Mehlschwitze (Roux) aus Butter und Mehl zum Andicken von Soßen verwenden, wie auf Seite 21 beschrieben.

▶ Weitere Tipps

Manchmal bedarf es aber auch gar keines weiteren Bindemittels. Wenn sowieso reichlich gehaltvolle Kochflüssigkeit vorhanden ist, zum Beispiel bei Schmorgerichten, dann lässt sie sich auch unter sanftem Köcheln um ein Drittel oder mehr reduzieren, um eine sämige und besonders kräftige Soße zu erhalten.

⊕ *smarticular.net/sossenbinder*

Instant-Bratensoße

Fertiges Soßenpulver von Maggi & Co. ist zugegebenermaßen praktisch, vor allem wenn im Alltag die Zeit zum Kochen fehlt. Doch statt Fertigprodukte mit zahlreichen Zusatzstoffen zu kaufen, lässt sich die Fertigmischung für dunkle Soße aus einfachen Grundzutaten selbst herstellen. Das geht leichter als gedacht und schmeckt mindestens genauso gut, wenn nicht sogar besser!

▶ Rezept für Instant-Bratensoße

Das typisch deftige Aroma einer Bratensoße braucht weder künstliche Aromen noch Geschmacksverstärker, mit natürlichen Inhaltsstoffen wie Champignons und Zwiebeln erreichst du es genauso gut. Der folgende Soßen-Grundstock ist deshalb auch für Vegetarier oder Veganer geeignet.

Für einen Vorrat Soßenpulver benötigst du folgende Zutaten:

200 g	Semmelbrösel (am besten von trockenem Schwarzbrot)
100 g	Gemüsebrühe, die du ebenfalls leicht selbst herstellen kannst (siehe Seite 13)
100 g	getrocknete Röstzwiebeln
100 g	getrocknete Champignons
1 EL	Olivenöl (sorgt dafür, dass das fertige Pulver nicht staubt)
	getrocknete Tomaten, Sellerie u. ä., Gewürze und Kräuter nach Geschmack (optional)
	Küchenmaschine oder leistungsstarken Mixer
	Bügel- oder Schraubglas

Und so einfach wird die Instantsoße zubereitet:

1. Alle Zutaten in den Mixer geben, das Öl zum Schluss.

2. Kräftig mixen, bis ein feines Pulver entsteht. Am besten klappt das mit einem Smoothiemixer mit hoher Drehzahl.

3. Fertiges Soßenpulver in Gläser abfüllen.

Für die Zubereitung einer dunklen Soße rühre einfach drei bis vier gehäufte Teelöffel des Pulvers in 250 Milliliter Brat- bzw. Kochflüssigkeit oder in heißes Wasser ein, bring die Soße zum Kochen, und lasse sie für ein paar Minuten köcheln. Je mehr Eigengeschmack die Kochflüssigkeit schon besitzt, desto weniger Pulver wird benötigt. Zum Schluss mit Gewürzen oder frischen Kräutern nach Wahl abschmecken. Hierfür eignen sich zum Beispiel Pfeffer, Kümmel, Majoran, Thymian oder Lorbeer. Falls die Soße noch zu dünnflüssig ist, kannst du sie mit noch mehr Semmelbröseln eindicken.

⊕ *smarticular.net/fertigsosse*

Mehlschwitze (Einbrenne oder Roux)

Viele denken, es sei kompliziert, eine Mehlschwitze selbst herzustellen, und arbeiten deshalb lieber mit fertigen Soßenbindern. Diese enthalten aber außer Stärke noch eine ganze Reihe unerwünschter Lebensmittel-Zusatzstoffe, etwa Maltodextrin, Milchzucker, Palmfett oder Emulgator E471. Mit diesem einfachen Rezept kann darauf getrost verzichtet werden.

Für eine Mehlschwitze benötigst du:

50 g Mehl

50 g Butter (oder für eine vegane Variante 50 g Margarine oder 50 ml Pflanzenöl)

So gelingt's:

1. Fett bei geringer Temperatur im Topf schmelzen.

2. Mehl hinzugeben und glatt rühren.

3. Unter Rühren leicht köcheln und dabei bräunen lassen.

Je länger die Mehlschwitze im Topf bräunt, desto dunkler wird die Soße. Der leicht mehlige Geschmack verschwindet nach fünf Minuten Kochzeit.

▶ **Soßen aus der einfachen Mehlschwitze herstellen**

Ausgehend von der fertigen Mehlschwitze lassen sich viele unterschiedliche Soßen zubereiten. Dafür wird lediglich ein aromatischer Gemüsefond oder zum Beispiel der Saft eingekochter Tomaten benötigt.

So geht's:

1. Unter beständigem Rühren der Mehlschwitze langsam bis zu 500 Milliliter Gemüsefond oder eine andere flüssige Soßenbasis zugeben.

2. Die klümpchenfreie Mischung kurz aufkochen, bei geringer Temperatur mit ständigem Rühren acht bis zehn Minuten köcheln lassen, bis sie eingedickt ist.

So entstehen schmackhafte Soßen für Gemüsegerichte oder Pasta.

▶ Mehlschwitze auf Vorrat zubereiten

Die sogenannte Mehlbutter (Beurre manié) ist eine lagerfähige Mehlschwitze. Es ist sehr einfach, diese vorzubereiten, sodass sie jederzeit verfügbar ist.

So funktioniert's:

1. Weizenmehl und weiche Butter im Verhältnis 1:1 verkneten und zu einer Rolle formen.

2. Die Rolle portionsweise (zu je ca. 100 Gramm) in Stücke schneiden.

3. Im Kühlschrank oder Tiefkühler aufbewahren.

4. Zum Eindicken einer Soße ein Stück Mehlbutter in die heiße Flüssigkeit einrühren.

> **Hinweis:** Je dunkler die Mehlschwitze wird, desto weniger stark bindet sie. Unter Umständen wird für eine dunkle Soße die doppelte Menge an Mehlschwitze notwendig.

Rote Grütze

Die fruchtige Grütze aus verschiedenen Früchten wie Erdbeeren, Himbeeren Johannisbeeren, Kirschen und auch Heidelbeeren ist ein schneller Nachtisch, der mit Vanillesoße besonders lecker schmeckt – selbst gemacht gleich doppelt so gut.

Du brauchst:

      500 g rote Beeren

      175 ml Beerensaft oder verdünnten Sirup

      15 g Speisestärke

      1–2 EL Zucker

      ½ Pck. Vanillezucker

        Zitronensaft (optional)

So wird's gemacht:

1. Fünf Esslöffel Beerensaft mit Zucker, Vanillezucker und Stärke mischen und glatt rühren.

2. Restlichen Saft aufkochen, die Stärkemischung untermengen und nochmals kurz aufkochen.

3. Für circa eine Minute köcheln, dabei beständig rühren.

4. Früchte unterrühren, noch einmal aufkochen und weitere zwei Minuten unter Rühren köcheln lassen.

5. Die fertige Grütze in Schüsseln oder Gläser füllen und abkühlen lassen.

Bei tiefgekühlten Früchten entsteht beim Auftauen sehr viel Saft, der ebenfalls zum Kochen der Grütze verwendet werden kann. Je nach verwendeten Früchten kann auch eine grüne oder gelbe Grütze entstehen.

Pasta ohne Nudelmaschine

Nudeln sind aus unserem Speiseplan kaum wegzudenken. Pasta mit Soße ist schnell zubereitet und bei jedermann beliebt. Bei der gegebenen Vielfalt an Soßen und Pastaformen gibt es Abwechslung für jeden Tag.

Noch frischer und umweltfreundlicher wird es, wenn die Nudeln zu Hause aus regionalen Zutaten zubereitet werden. Und das geht sogar ohne Nudelmaschine!

▶ Zubereitung des Nudelteigs

Dies ist ein einfaches Basisrezept, das auf unterschiedliche Art und Weise variiert werden kann. Du brauchst:

200 g	Mehl Typ 405 oder 250 g Weizenvollkornmehl (für Vollkorn-Nudeln)
2	Eier (Zimmertemperatur)
1 TL	Olivenöl
	Wasser (bei Bedarf)

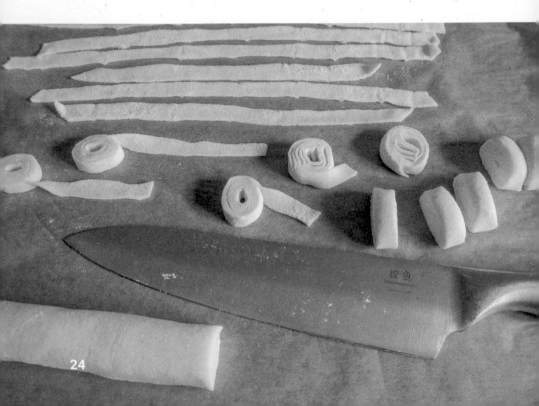

So gelingen die Nudeln:

1. Mehl in eine Schüssel geben, in der Mitte eine Mulde formen.

2. Eier und Öl in die Mulde geben und alles mit einer Gabel vermengen, sodass ein krümeliger Teig entsteht.

3. Mit den Händen ausgiebig kneten, ungefähr zehn Minuten lang.

4. Der fertige Teig ist elastisch und glänzend und sollte nicht an den Händen kleben. Bei Bedarf etwas Mehl oder lauwarmes Wasser hinzufügen.

5. Den Teig etwa für eine halbe Stunde kalt stellen und ruhen lassen. Damit er nicht austrocknet, mit einer Schüssel oder einem Topf abdecken.

6. Nach der Ruhezeit kann der Teig portionsweise weiterverarbeitet werden.

Die beiden Eier können auch durch 100 Milliliter Wasser ersetzt werden. In dem Fall empfiehlt es sich, anstelle des Mehls Weichweizengries zu verwenden.

▶ Pasta ohne Nudelmaschine herstellen

Nachdem der Teig zubereitet ist, kannst du die Nudeln formen. Abhängig von der Nudelsorte werden folgende Arbeitsmaterialien benötigt:

- Holzbrett
- Nudelholz
- großes, scharfes Messer
- Teigrädchen oder Mehrfachrädchen
- Backpapier

▶ Die einfachste Methode: ausrollen und zuschneiden

Auf diese simple Art und Weise haben schon unsere Großmütter die Nudeln zum Sonntagsbraten zubereitet:

1. Den fertigen Teig mit einem Nudelholz auf eine Dicke von etwa zwei bis drei Millimetern auswalzen.

2. Abhängig von der gewünschten Nudelform den Teig in passende Stücke schneiden oder teilen.

Für Ravioli eignen sich kleine Gläser oder runde Förmchen zum Ausstechen. Für andere Sorten reicht ein Messer oder Teigrädchen. Für Bandnudeln bietet es sich an, den Teig in etwa einen Zentimeter breite Streifen zu schneiden.

Besonders lange Nudeln erhält man, wenn der ausgewalzte Teig vor dem Schneiden gut bemehlt und eingerollt wird. Mit dieser Methode können auch feine Tagliatelle in einer Breite von 0,5 Zentimetern hergestellt werden.

Mit etwas Geschick lassen sich ebenso schnell Farfalle-Nudeln zubereiten. Teile dazu den Teig in drei mal vier Zentimeter große Rechtecke, falte die Stücke zwei- bis dreimal längs und drücke sie in der Mitte zusammen.

▶ Geschnitten ohne Nudelholz

Auch ohne Nudelholz können Nudeln hergestellt werden. Diese Methode ist für kleine Nudeln, Spaghetti oder auch Gemelli (Spiralnudeln) geeignet.

Zu diesem Zweck wird eine fingerdicke Teigrolle geformt und mit einer breiten Messerklinge oder einem Holzbrett flach gedrückt. Der Teig wird in dünne Streifen geschnitten. Für die Gemelli werden je zwei kurze Streifen zusammengelegt und gegeneinander verdreht.

▶ Hütchen-Nudeln aus Teigrollen

Die Hütchen-Technik ist etwas zeitaufwendiger und empfiehlt sich deshalb eher für kleine Portionen. So funktioniert's:

1. Den fertigen Nudelteig zu einer dünnen Rolle formen.

2. Kirschkerngroße Stücke abschneiden oder abreißen.

3. Teigstückchen flach drücken und zwischen die Finger nehmen, so-dass der Daumen ungefähr mittig ist.

4. Nun wird der Daumen in den Teig gepresst und der überstehende Teig über den Daumen gestülpt. Fertig ist das Hütchen.

Die ersten Versuche sind wahrscheinlich noch keine Schönheiten, doch mit ein klein wenig Übung entstehen wohlgeformte Hütchen-Nudeln.

▶ Lagerung und Zubereitung

Die frischen Nudeln können direkt nach dem Formen mit reichlich Salzwasser gekocht werden. Die Kochzeit beträgt je nach Größe der Nudeln nur etwa ein bis zwei Minuten.

Alternativ ist es auch möglich, für einen kleinen Vorrat an selbstgemachter Pasta die Nudeln zu trocknen und dadurch haltbar zu machen. Dazu empfiehlt es sich, die fertigen Nudeln auf ein Holzbrett oder Küchentuch zu legen. Längere Nudeln können auf einer Wäscheleine oder einem Wäscheständer aufgehängt werden. Ein Backofengitter oder ein Topfdeckelhalter eignen sich ebenfalls gut.

Nach 12 bis 24 Stunden Trockenzeit ist die Pasta lange haltbar. Bei getrockneter Pasta verlängert sich die Kochzeit auf etwa drei bis fünf Minuten. Die Nudeln sind gar, wenn sie an der Oberfläche schwimmen, und können mit einer Abtropfkelle aus dem Wasser geholt werden.

🌐 *smarticular.net/nudeln*

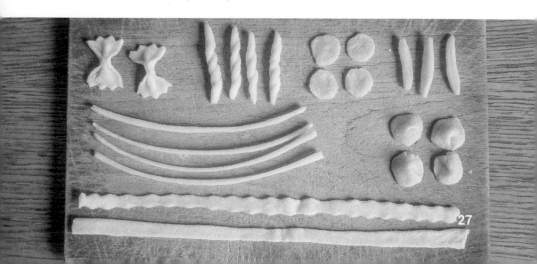

27

Fertigprodukte

Ghee – ayurvedisches Butterreinfett

Ghee gilt in der ayurvedischen Gesundheitslehre seit Jahrtausenden als kühlend, entgiftend und entzündungshemmend. Die geklärte Butter (in unserem Kulturkreis auch bekannt als Butterschmalz) ist ideal zum Braten geeignet und kann als gesunde Alternative zu Butter oder Margarine auch beim Backen verwendet werden.

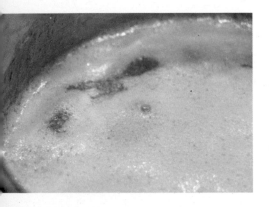

▶ Vorteile von Ghee

Im Gegensatz zu normaler Butter ist die geklärte Butter vom Milchzucker und Milcheiweiß gereinigt. Dadurch ist Ghee auch für die meisten Menschen mit Laktose-Intoleranz verträglich.

Im Vergleich mit vielen Pflanzenölen bietet Ghee einige Vorteile. Der hohe Anteil an mehrfach ungesättigten Fettsäuren in Pflanzenölen ist nämlich nur dann von besonderem Wert, wenn sie nicht erhitzt werden. Bei höheren Temperaturen wie beim Braten und Frittieren werden ungesättigte Fettsäuren vermehrt oxidiert und verlieren ihre positiven Eigenschaften. Wird ein Öl über den individuellen Rauchpunkt hinaus erhitzt, entstehen gesundheitsschädliche Transfettsäuren (TFS). Sie sind mitverantwortlich für Herz-Kreislauf-Erkrankungen und chronische Entzündungen. Ghee kann im Gegensatz dazu bedenkenlos auf bis zu 180 °C erhitzt werden.

▶ Ghee selbst herstellen

Ghee ist ein Speisefett, das durch langes, sanftes Erhitzen aus Butter gewonnen wird. Je nach Region und Kultur variieren Herstellung und Ausgangsmaterial: Sowohl Süßrahmbutter, Sauerrahmbutter, Sahne als auch Milch werden zur Herstellung von Ghee genutzt. Aus 500 Gramm Butter werden etwa 300 Gramm Ghee gewonnen.

Du benötigst:

500 g Bio-Butter

1 desinfiziertes Glasgefäß mit Deckel zur Aufbewahrung

1 sehr feines Sieb, zum Beispiel mehrere Teefilter-Tüten ineinandergesteckt

1 Schaumkelle oder großen Löffel

> **Hinweis:** Wie immer bei der Herstellung von möglichst lange haltbaren Produkten sollten die Geräte sauber und die Aufbewahrungsgefäße keimfrei sein. Daher empfiehlt es sich, alle Arbeitsgeräte zuvor keimfrei zu machen, zum Beispiel mit Alkohol oder einer heißen Soda-Lösung.

So geht's:

1. Butter im Topf langsam bei geringer Hitze schmelzen. Achte darauf, dass sie nicht dunkel wird!

2. Die Herdplatte auf die kleinste Stufe stellen, sodass die Butter höchstens leicht blubbert. Keinen Deckel auflegen, nicht umrühren.

3. An der Oberfläche entsteht nach einigen Minuten ein Schaum aus geronnenen Milcheiweißen. Diesen kontinuierlich mit einer Schaumkelle abschöpfen, bis die Flüssigkeit klar erscheint.

4. Das Ghee ist fertig, wenn es durchsichtig und goldgelb aussieht und einen karamellartigen Duft verströmt.

5. Zum Filtern die Flüssigkeit vorsichtig durch doppelt ineinandergelegte Teefilter-Tüten oder gefaltetes Küchenpapier gießen.

6. Nach dem Filtern sollte das Ghee ganz klar sein. Ist dies nicht der Fall, einfach noch einmal kurz erhitzen und erneut filtern.

Tipp: Je länger das Ghee auf dem Herd bleibt, umso reiner wird es. Es ist dann selbst ungekühlt sehr lange haltbar.

▶ Verwendung von Ghee

Das abgekühlte Ghee ist cremig und nicht so fest wie Butter. Zum Braten in der Pfanne benötigst du etwas weniger Ghee als die gewöhnlichen Mengen Butter oder Margarine. Beim Backen mit Ghee werden etwa 20 Prozent weniger Ghee benötigt als die im Rezept angegebene Menge Butter oder Margarine.

⊕ *smarticular.net/ghee*

Naturjoghurt

Joghurt ist nichts weiter als durch die Aktivität von Milchsäurebakterien verdickte Milch. Spezielle Bakterienkulturen nutzen den enthaltenen Milchzucker als Lebensgrundlage und produzieren daraus bei 42 bis 45 °C Milchsäure. Der pH-Wert der Milch sinkt, wodurch die enthaltenen Eiweiße ihre Lösung verlieren und eine Struktur in der Milch bilden – die Milch wird dick gelegt. Das Ergebnis ist leicht säuerlich schmeckender Naturjoghurt.

Um gut einen Liter Joghurt selbst herzustellen, benötigst du:

1 L frische Vollmilch oder H-Milch

2 EL Naturjoghurt zum Impfen

1 Topf

1 Thermometer für Flüssigkeiten (z. B. Tee-Thermometer)

Gefäße zum Abfüllen des Joghurts (z. B. Einmachgläser)

Und so wird der Joghurt zubereitet:

1. Milch erhitzen (nicht kochen) und auf genau 45 °C abkühlen lassen.

2. Joghurt in die Milch geben und verrühren.

3. Milch in saubere Gefäße füllen.

4. In den Backofen stellen und diesen möglichst exakt auf 42–45 °C einstellen (Thermometer zu Hilfe nehmen) und für sechs Stunden bei dieser Temperatur ruhen lassen.

5. Der Joghurt ist nun gebrauchsfertig, er ist „stichfest" – kalt stellen und innerhalb einer Woche verbrauchen.

Das Ergebnis ist ein sehr wohlschmeckender, cremiger Joghurt. Die Cremigkeit wird auch durch den Fettgehalt der Milch bestimmt.

Während des ganzen Vorgangs ist Reinheit sehr wichtig. Je weniger Keime in die Milch gelangen, desto länger ist der Joghurt später haltbar. Manche erhitzen deshalb die Milch bis kurz vor den Siedepunkt auf 95 °C, hierzu empfiehlt sich ein spezieller Milchkochtopf.

Zwar verbraucht der Backofen bei 45 °C nur sehr wenig Strom. Jedoch lohnt es sich, gleich mehrere Liter Joghurt auf einmal herzustellen und etwa an Freunde und Familie zu verschenken. Alternativ kann die Milch zum Reifen des Joghurts auch bei 45 °C in eine Thermoskanne gefüllt werden, das spart Energie und ergibt ebenfalls einen schönen Naturjoghurt.

⊕ *smarticular.net/naturjoghurt*

Puddingpulver

Fertigprodukte sind zwar praktisch, oft aber auch völlig überflüssig und im Vergleich viel zu teuer, beispielsweise portionsweise verpackter Tütenpudding. Der besteht aus sehr einfachen Grundzutaten, und du kannst ihn preisgünstig und schnell auf Vorrat herstellen.

▶ Grundrezept für Puddingpulver

Die folgende „hausgemachte Fertigmischung" lässt sich beliebig portionieren und geschmacklich unendlich variieren. Ausgehend vom Basisrezept, kannst du Pudding in allen erdenklichen Geschmacksrichtungen herstellen.

Für die Grundmischung, die für einen halben Liter Milch ausreichend ist, brauchst du:

40 g Speisestärke

20 g Zucker oder eine pulverförmige Zuckeralternative

Geschmackszutaten (optional)

Wenn du diese beiden Zutaten mischst und sie in einem Schraubglas aufbewahrst, hast du immer fertiges Puddingpulver als Vorrat im Haus – preiswerter
und umweltfreundlicher als Pudding aus der Tüte.

▶ Vanillepudding

Zur Herstellung einer Fertigmischung für Vanillepudding ergänze das Grundrezept um einen Teelöffel gemahlene Vanilleschote. Wenn du frisches Vanillemark
verwendest, gib es erst bei der Zubereitung des Puddings dazu.

Die klassische Vanillepudding-Farbe erhältst du, wenn du zusätzlich eine Messerspitze gemahlenes Kurkuma hinzugibst. Der Pudding bekommt dann neben
der gelblichen Färbung auch einen leicht würzigen Geschmack. Um noch mehr
Aroma zu erzielen, kannst du später bei der Zubereitung eine ausgeschabte Vanilleschote mitkochen und sie vor dem Servieren des Puddings herausnehmen.

▶ Schokopudding

Für einen Schokoladenpudding füge zum Grundrezept ein bis zwei Teelöffel Kakao oder etwas gehackte Schokolade hinzu. Hierzu eignet sich dunkle Schokolade ebenso wie Milchschokolade oder auch andere Schokoladensorten.

▶ Fruchtige Variationen

Fruchtige Puddings lassen sich ebenfalls ganz einfach mit dem Grundrezept
herstellen. Für einen authentischen Fruchtgeschmack gib den Abrieb der Schale unbehandelter Zitrusfrüchte hinzu. Ein intensiveres Aroma erhältst du, wenn
du bei der Zubereitung auch einige Stücke der Schale mitkochst und vor dem
Abfüllen wieder entfernst.

▶ Nussige Variationen

Für einen Nusspudding gib zu den Grundzutaten geriebene Haselnüsse, Mandeln
oder andere geriebene Nüsse hinzu. Besonders geschmacksintensiv sind Walnüsse.

Neben den beschriebenen Puddingkreationen sind natürlich viele weitere denkbar. Mit Zimt und anderen typischen Wintergewürzen kannst du zum Beispiel
einen leckeren Weihnachtspudding kreieren. Geröstete Nussstücke oder klein
geschnittene Trockenfrüchte verleihen der Süßspeise einen besonderen Biss.

▶ Zubereitung des selbst gemachten Puddings

Die Zubereitung mit dem selbst gemachten Pulver entspricht exakt der Herstellung mit einem Fertigprodukt. Neben den zuvor beschriebenen Mischungen benötigst du Milch oder ein pflanzliches Ersatzprodukt. Von der Grundmischung aus Zucker und Stärke reichen 60 Gramm für einen halben Liter Milch, je nach gewählten Geschmackszutaten erhöht sich die Menge etwas.

So gehst du vor:

1. Einen kleinen Teil der Milch wegnehmen und mit deiner Puddingmischung (also Speisestärke, Zucker und Geschmackszutaten) glatt rühren.

2. Den Rest der Milch aufkochen.

3. Wenn die Milch kocht, das angerührte Puddingpulver einrühren und kurz aufkochen.

4. In Gläser oder Schüsseln füllen und erkalten lassen.

> **Tipp:** Auch für Soßen und Cremes lässt sich dieses Rezept verwenden. Füge dafür je nach gewünschter Konsistenz einfach etwas weniger Stärke hinzu.

Das selbst gemachte Puddingpulver eignet sich hervorragend als kleines Mitbringsel aus der Küche in Form einer Fertigmischung im Glas. Dazu die trockenen Zutaten übereinander in ein Schraubglas schichten und gut verschließen.

⊕ *smarticular.net/puddingpulver*

Vanillesoße und Schokoladensoße

Ähnlich wie Pudding lassen sich süße Soßen aus einfachen Grundzutaten selbst herstellen. Du brauchst dazu:

500 ml Milch

3 EL Speisestärke

1–2 EL Zucker

natürliche Aromen wie Zitronen- oder Orangenschale, Kakaopulver oder Vanille

Die Vorgehensweise ist dabei identisch mit derjenigen für den selbst gemachten Pudding. Mit den folgenden Tipps gelingen deine Soßen noch besser:

- Richtig lecker wird die Vanillesoße und erhält eine schöne Färbung, wenn du eine Prise Salz, zwei Messerspitzen Kurkuma, eine Messerspitze Zimt und zwei Esslöffel Sahne dazugibst.

- Für vegane Soßen bieten sich Cashew- oder Mandelmilch sowie Cashewsahne an.

- Einen Hauch Exotik erhalten deine Soßen mit Kokosmilch.

- Generell solltest du bei heiß angerührten Milchsoßen darauf achten, sie nach dem Andicken sofort zu verwenden oder unter ständigem Rühren erkalten zu lassen. Sonst entsteht eine unschöne Haut.

- Für kalt angerührte Soßen und Desserts kommt anstelle von Speisestärke geschmacksneutrales Johannisbrotkernmehl zum Einsatz.

Tortenguss ohne Gelatine

Dieser Tortenguss gelingt immer und ist ohne Gelatine die perfekte vegane Lösung.

Du benötigst:

250 ml Fruchtsaft oder Wasser

2 EL Kartoffelstärke

1 EL Zucker

So wird der Tortenguss hergestellt:

1. Stärke und Zucker vermischen und mit fünf Esslöffeln der Flüssigkeit zu einer homogenen Masse verrühren.

2. Den restlichen Saft im Topf kurz aufkochen, die Stärkemischung dazugeben und erneut aufkochen.

3. Noch eine Minute bei mittlerer Temperatur unter Rühren köcheln lassen.

4. Den noch heißen Tortenguss über der Obsttorte verteilen.

🌐 *smarticular.net/tortenguss*

Sahnestandmittel – Alternative zu Sahnesteif

Seit den 60er-Jahren des letzten Jahrhunderts schwören Hausfrauen und Hobbybäcker auf Sahnesteif, das sogenannte Sahnestandmittel für Schlagsahne, die immer gelingt. Dabei ist das weiße Pulver in vielen Fällen gar nicht notwendig, sofern die Sahne möglichst kalt und schnell verarbeitet wird. Wenn du doch einmal Sahnesteif benötigst, zum Beispiel für Torten oder vorbereitete Desserts, dann kannst du eine Alternative auch ganz einfach aus zwei Zutaten selbst herstellen.

Handelsübliches Sahnesteif enthält als Hauptzutaten chemisch modifizierte Stärke und Zucker sowie das Trennmittel Tricalciumphosphat (E 341), um ein Verkleben der Zutaten zu verhindern. Verbraucherschützer raten von einem übermäßigen Verzehr des Lebensmittelzusatzstoffes ab. Diese Zusätze sowie die Kleinstverpackungen und den damit verbundenen Abfall vermeidest du mit selbst gemachtem Sahnestandmittel.

Dafür wird ein Bindemittel benötigt, das auch kalte Flüssigkeiten eindicken kann: Johannisbrotkernmehl, auch Carubenmehl genannt. Das weiße, geschmacklose Pulver aus der Frucht des Carubenbaums ist in der Lage, fünfmal so viel Wasser zu binden wie Speisestärke. Es ist in Gläsern in der Backzutaten-Abteilung zu finden.

Für einen 75-Gramm-Vorrat, der dann für viele Liter Sahne reicht, benötigst du lediglich diese Zutaten:

25 g Johannisbrotkernmehl

50 g Puderzucker

Gib beides in ein kleines Schraubglas, das du nach dem Verschließen ordentlich schüttelst. Fertig! Von nun an kannst du zur Zubereitung eines Viertelliters Schlagsahne einfach einen bis zwei Teelöffel der Mischung zur Sahne geben. Für einmaligen Gebrauch tun es natürlich auch etwas Carubenmehl und Puderzucker, direkt zur Sahne gegeben.

🌐 *smarticular.net/sahnestandmittel*

Backpulver durch Natron ersetzen

Bestimmt wolltest du auch schon einmal spontan einen Kuchen backen und hast beim Zusammenstellen der Zutaten festgestellt, dass du kein Backpulver mehr im Haus hast.

Vielleicht suchst du aber auch einfach nur nach einer preiswerten Alternative für Backpulver oder möchtest fragwürdige Substanzen wie Phosphatsäuerungsmittel in deinem Gebäck vermeiden. Wirksame Backpulver-Alternativen kannst du auch aus einfachen Zutaten wie Natron und Essig herstellen.

Natron ist der Hauptbestandteil von Backpulver. Zusammen mit einem Säuerungsmittel erzielt es die treibende Wirkung, um Teige aufzulockern. Durch Wärme beim Backen sowie durch eine chemische Reaktion des Natrons mit dem Säuerungsmittel bildet sich Kohlendioxid im Teig. Die kleinen Bläschen dehnen

sich im Backofen aus, und der Teig erhält eine schöne Konsistenz. In Backpulver ist außerdem Speisestärke als Trennmittel enthalten, um die Rieselfähigkeit zu erhalten und Natron und Säuerungsmittel vor Feuchtigkeit zu bewahren.

Für das Backpulver aus der Tüte bedarf es nur der Feuchtigkeit und Hitze, um den Prozess in Gang zu setzen. Natron allein funktioniert als Backtriebmittel nur dann, wenn dein Teig bereits eine säurehaltige Zutat enthält, zum Beispiel in Form von Joghurt oder Buttermilch.

▶ Schneller Backpulver-Ersatz: Natron + Essig oder Zitronensaft

Bei einem Teig ohne säurehaltige Zutat kannst du das Backpulver auf die Schnelle durch Natron und eine Säure wie Zitronensaft oder Essig ersetzen. Hier gilt die Faustformel: Fünf Gramm Natron und sechs Esslöffel Essig oder Zitronensaft auf 500 Gramm Mehl. Keine Angst: Nach dem Backen ist von der Säure geschmacklich nichts mehr zu merken. Am besten funktioniert diese Methode, wenn du das Natron mit dem Mehl verarbeitest und Essig erst ganz zum Schluss unterrührst.

▶ Backpulver mit Ascorbinsäure

Bei der Ascorbinsäure handelt es sich um reines Vitamin C, das in seiner natürlichen Form in vielen Obst- und Gemüsesorten enthalten ist. Als Nahrungsergänzungsmittel ist Ascorbinsäure in Apotheken, Drogerien und Supermärkten erhältlich.

Für den selbst gemachten Backpulver-Ersatz vermische Natron, Ascorbinsäure und Speisestärke zu gleichen Teilen. Für einen Teig mit 500 Gramm Mehl benötigst du ungefähr 20 Gramm des fertigen Pulvers. Es funktioniert nicht nur genauso gut wie herkömmliches Backpulver, sondern kostet auch nur einen Bruchteil!

▶ Backpulver mit Zitronensäure

Auch mit Zitronensäure kannst du eine Alternative zum herkömmlichen Backpulver herstellen. Für ungefähr 12 Portionen à 15 Gramm werden folgende Zutaten gemischt:

75 g Natron

65 g kristalline Zitronensäure

25 g Speisestärke (gegen Feuchtigkeit)

15 g Kieselerde (als Rieselhilfe, optional)

15 Gramm dieses Gemischs reichen aus, um einen Teig mit 500 Gramm Mehl aufzulockern. Diese Mischung kannst du auf Vorrat herstellen und erhältst sehr preiswertes Backpulver. Wichtig ist, dass das Gemisch genau wie Backpulver möglichst trocken und luftdicht aufbewahrt wird.

▶ Backpulver mit Weinsteinsäure

Weinsteinsäure ist eine in Pflanzen vorkommende Säure, die auch in der Lebensmittelindustrie als Säuerungsmittel eingesetzt wird, ebenso in einigen handelsüblichen Backpulvern. Erwerben kannst du Weinsteinsäure in Apotheken.

Für 12 Portionen selbst gemachtes Backpulver benötigst du:

75 g Natron

60 g kristalline Weinsteinsäure

30 g Speisestärke

15 g Kieselerde

Je 500 Gramm Mehl benötigst du etwa 15 Gramm dieser Mischung.

Beachte, dass herkömmliche Backpulver-Mischungen in der Regel Phosphatsäure enthalten. Die oben aufgeführten Rezepte verwenden organische Säuren, die sehr schnell reagieren, sobald sie mit Feuchtigkeit in Kontakt kommen. Deshalb ist es empfehlenswert, den Teig zügig zu verarbeiten und im Anschluss sofort zu backen.

⊕ *smarticular.net/natron-backpulver*

Backmischung im Glas

Du brauchst in letzter Minute noch ein Geschenk und bist es leid, ziellos im Kaufhaus umherzuirren und am Ende irgendetwas ohne Sinn und Herz zu kaufen? Dann stelle doch lieber aus Zutaten, die du wahrscheinlich sowieso zu Hause hast, eine originelle Backmischung im Glas zusammen.

Über einen selbst gemachten Kuchen freut sich fast jeder, und das Beste an dieser Variante ist, dass du die Zutaten nach den Vorlieben des Beschenkten auswählen kannst und dieser das Backwerk fertig backen kann, wann immer gerade Bedarf besteht. Schön verpackt und mit einer hübschen Schleife verziert, wird aus diesem Zutatenmix ein besonderes und einzigartiges Präsent.

Fertigprodukte

Für ein einfaches Grundrezept benötigst du:

> sauberes Einwegglas oder Glasflasche – etwa 1 L

400 g Mehl

3 TL Backpulver

200 g braunen Zucker

60 g Stärkemehl

4 EL Kakao

So funktioniert's:

1. Die einzelnen Zutaten nacheinander in das Glas füllen, Schicht für Schicht übereinander.

2. Backanleitung mit einem schicken Etikett oder einem selbst gestalteten Aufkleber am Glas befestigen.

Das Etikett könnte etwa so aussehen:

Cookies aus dem Glas

Was du noch brauchst:
250 g weiche Butter, 3 Eier, 1–2 EL Milch

1. Butter und Eier cremig schlagen.
2. Zutaten aus dem Glas vermischen und zum Eier-Butter-Mix geben.
3. Alles gut verkneten. Falls der Teig zu fest ist, etwas Milch hinzufügen.
4. Kleine Häufchen aufs Backblech setzen und flach drücken.
5. Bei 180–200 °C zehn bis zwölf Minuten backen.

Guten Appetit!

Natürlich lassen sich auf dieselbe Weise auch Backmischungen für Brote, Kuchen oder Aufläufe zusammenstellen.

🌐 *smarticular.net/backmischung-im-glas*

Knuspermüsli aus drei Zutaten

Wer knuspriges Müsli mag und im Bioladen nicht mehrere Euro für das Crunchy-Frühstück zahlen möchte, kann mit diesem preiswerten Rezept sehr einfach ein köstliches Hafermüsli aus nur drei Zutaten zubereiten.

Die Grundlage für das Müsli bilden Haferflocken, Pflanzenöl und Zuckerrübensirup (alternativ Agavendicksaft oder Honig). Heraus kommt eine feine Müsli-Grundlage, die nach Belieben um Früchte, Nüsse, Samen, Cornflakes usw. erweitert werden kann.

▶ Hafer-Knuspermüsli selber machen

Für gut 500 Gramm Müsli werden diese Zutaten benötigt:

500 g Haferflocken

6–8 EL Pflanzenöl

6–8 EL Zuckerrübensirup, Agavendicksaft oder Honig

weitere Zutaten wie Nüsse, Kerne, gehacktes Trockenobst (optional)

Die Menge des verwendeten Süßungsmittels kann je nach Geschmack variiert werden. Soll das Müsli besonders knusprig werden, braucht es etwas mehr Süße.

So geht's:

1. Alle Zutaten in eine Pfanne geben.

2. Bei relativ großer Hitze unter ständigem Rühren anrösten.

3. Sobald ein süßlicher Karamellgeruch aufsteigt, ist der kritische Moment gekommen. Jetzt dauert es nur noch ein bis zwei Minuten, bis das goldgelbe Müsli fertig ist.

4. Wenn der gewünschte Bräunungsgrad erreicht ist, Hitze abschalten und das noch heiße Müsli in eine Schüssel umfüllen, damit es nicht weiterröstet.

5. Abkühlen lassen und in Vorratsbehälter abfüllen.

Fertig ist das Knuspermüsli! Es ist preiswerter und schmeckt auch noch viel besser als die industriellen Supermarkt-Alternativen.

▶ Variante: Fruchtig-gesundes Müsli-Frühstück

Für eine Frühstücksmahlzeit kann das Basis-Müsli zum Beispiel so kombiniert werden:

4–6 EL	Müsli
4–6 EL	ungesüßte Cornflakes
1 TL	gemahlene Leinsamen
2 EL	Brombeeren oder Heidelbeeren
1	Banane oder 1 Apfel, in Stücke geschnitten

Mit Milch, Mandelmilch oder einem anderen Pflanzendrink genießen.

⊕ *smarticular.net/knuspermuesli*

43

Apfelessig und Fruchtessig

Essig ist ein erstaunliches, sehr gesundes Lebensmittel und auch im Haushalt vielfach verwendbar. Apfelessig ist zum Beispiel nicht nur eine schmackhafte Zutat für Salatdressings, sondern gilt auch als wahres Wundermittel für gesunde Haut und schönes Haar.

Umso besser, dass sich Apfelessig kinderleicht aus Apfelsaft oder Apfelresten herstellen lässt. Dabei ist es besonders wichtig, sehr hygienebewusst zu arbeiten, dann gelingt die Zubereitung garantiert.

▶ Apfelessig selbst herstellen

Für die Herstellung von Apfelessig in der heimischen Küche brauchst du diese Zutaten und Arbeitsgeräte:

Bio-Äpfel oder Apfelreste (Schalen, Kerngehäuse)

2 EL Zucker pro Kilo Äpfel, um die Gärung zu beschleunigen (optional)

1 sauberes Gefäß, etwa ein großes Einmachglas mit mindestens ein bis zwei Litern Fassungsvermögen

1 sauberes Küchentuch

So geht's:

1. Gefäß gründlich auswaschen und mit Alkohol oder einer heißen Soda-Lösung keimfrei machen.

2. Apfelstücke und Zucker hineingeben und mit Wasser aufgießen, bis alles gut bedeckt ist.

3. Mit einem sauberen Tuch abdecken, damit möglichst keine Keime eindringen und sich kein Schimmel bildet.

4. Ab und an umrühren oder leicht umschwenken, um Schimmelbildung zu vermeiden. Mit der Zeit entsteht Schaum durch die einsetzende Gärung.

5. Nach mehreren Tagen (die Dauer variiert je nach Temperatur und der verwendeten Zuckermenge) ändert sich der Geruch zu einer feinen Essignote. Die Früchte beginnen, nach unten zu sinken.

6. Jetzt den Essig durch ein sauberes Tuch abgießen und in ein sauberes Gefäß füllen.

7. Abgedeckt für vier bis sechs Wochen zu Apfelessig vergären lassen.

8. Durch ein feines Sieb oder Tuch gießen und in Flaschen füllen.

Während der Essigsäure-Gärung entstehen in der Flüssigkeit zunächst Schlieren, die später einen Gelee-artigen Block ergeben. Das ist die sogenannte Essigmutter, eine Kultur aus Essigsäure-Bakterien. Wirf sie nach dem Abgießen des Essigs nicht weg. Sie kann weiter zur Essig-Herstellung verwendet werden und wird den Prozess deutlich beschleunigen.

▶ Apfelessig aus Saft herstellen

Mit frisch gepresstem Apfelsaft ist die Zubereitung von Essig noch einfacher als mit Apfelstücken. Dazu solltest du den frischen Saft für vier bis sechs Wochen zugedeckt stehen lassen. Er verwandelt sich ganz von allein in Apfelessig. Gibst du ein Stück von der Essigmutter hinzu, funktioniert die Umwandlung noch besser.

Handelsüblicher Apfelsaft aus Flaschen ist ebenfalls verwendbar. Diese Methode funktioniert aber nur mit naturtrübem Direktsaft, da nur dieser alle wertvollen, für die Essigsäure-Gärung benötigten Inhaltsstoffe aufweist.

▶ Fruchtessig

Die beschriebene Methode kann genauso gut auf fast alle anderen Fruchtsorten angewendet werden. Wie wäre es zum Beispiel mit Birnenessig, Erdbeeressig, Johannisbeeressig oder Tomatenessig?

🌐 *smarticular.net/apfelessig*

Fertigprodukte

Kräuteressig selbst ansetzen

Es gibt einige gute Gründe, warum es sich lohnt, Kräuteressig selbst herzustellen. So entstehen ganz nach individuellen Vorlieben besondere Exemplare, die es im Supermarkt nicht zu kaufen gibt. Außerdem hat man beim Selbermachen immer die Kontrolle über zugesetzte Inhaltsstoffe. Ein hausgemachter Kräuteressig kann ein perfektes Mitbringsel oder schönes Geschenk sein, besonders wenn man im eigenen Garten Heil- oder Gewürzpflanzen anbaut.

▶ Grundrezept für Kräuteressig

Die Qualität des Endergebnisses hängt vor allem von der Qualität des verwendeten Essigs ab. Guter Wein-, Sherry- oder Apfelessig sind die beste Wahl. Der Säureanteil des Ansatz-Essigs sollte mindestens fünf Prozent betragen. Je Tasse getrockneter Kräuter werden zwei bis drei Tassen Essig benötigt.

So gelingt der Ansatz:

1. Essig und Kräuter in ein Glasgefäß geben, abdecken und mindestens einen Monat lang stehen lassen.

2. Für die Verwendung die nötige Menge durch einen feinen Filter abgießen.

3. Auf den restlichen Ansatz frischen Essig aufgießen.

Kühl und dunkel gelagert, kann dieser Essig mindestens ein Jahr lang verwendet werden. Dies ist eine einfache Methode, um Aromen und Vitalstoffe aus dem eigenen Kräutergarten das ganze Jahr über zu konservieren!

▶ Zehn Rezeptvorschläge für Kräuteressig

1. Würziger Kräuteressig

Zwei Estragonzweige, Salbei, Basilikum, Majoran und Thymian je nach Geschmack, zwei Nelken und ein halber Teelöffel geriebene Muskatnuss werden in einen Liter Weinessig gegeben. Alle Kräuter werden im Essig gelassen, und erst vor der Verwendung herausgefiltert.

2. Französischer Essig

Auf einen Liter Weinessig kommen für dieses Rezept ein bis zwei Estragonzweige, ein junger Sellerie (Blätter und geputzte Knolle), eine Handvoll Holunderblüten, 10–15 duftende Rosenblütenblätter, zwei Nelken, 150–250 Gramm geschälte Zwiebeln, eine Prise Koriander, 50 Gramm grobes Meersalz, fünf Gramm Pfefferkörner und ein bis zwei Lorbeerblätter.

3. Holunderblütenessig

Für Holunderblütenessig benötigst du 15 Gramm trockene Holunderblüten und einen Liter Weinessig oder Apfelessig. Wenn du den Holunder für 15 Tage im Essig stehen lässt, ihn danach filterst, erhältst du einen duftenden Essig für Salate und säuerliche Soßen. Dieser Essig ist aber auch gut für die Gesundheit, weil Holunderblüten die Flüssigkeit aus dem Organismus austreiben. Er eignet sich deshalb gut zum Abnehmen und ist gut für den Magen, reinigt das Blut und wirkt gegen Durchfall. Um dir seine Heilwirkungen zunutze zu machen, kannst du täglich zwei Löffel in einem Glas Wasser einnehmen.

4. Pfefferminzessig

Für diese Variante brauchst du drei bis vier frisch gepflückte Pfefferminzzweige je Liter Essig. Die Zweige waschen, trocknen, in die Essigflasche geben, verschließen und zwei Wochen lang stehen lassen, dann den Inhalt filtern. Da der Essig etwas scharf ist, kannst du ihn mit einem bis zwei Teelöffeln Puderzucker oder Honig mildern.

5. Salbeiessig

Lege drei bis vier Salbeizweige in einen Liter Weinessig und lass sie für ein bis zwei Wochen ziehen. Dieser Essig eignet sich hervorragend für Soßen, in denen fettes Fleisch geschmort wurde.

6. Zwiebelessig

In einen Liter Weinessig werden 500 Gramm geviertelte Zwiebeln, zwei Nelken, ein Lorbeerblatt und ein Zweig Thymian gegeben. Alle Zutaten vermischen und einen Monat lang stehen lassen, dann filtern. Dies ist ein sehr guter Essig für Salate sowie Fleisch- und Fischgerichte. Einen Teil der Zwiebeln kannst du durch zwei Zweige Rosmarin ersetzen. Dadurch erhält der Essig eine betont mediterrane Note.

7. Knoblauchessig

Gib sechs bis acht Knoblauchzehen in einen Liter Essig und lass alles einen Monat lang ziehen, anschließend filtern. Der Knoblauchessig wird so verwendet wie Zwiebelessig.

8. Pfefferessig

Um diese pikante Sorte herzustellen, legst du in einen Liter Weinessig 10–15 grüne Pfefferkörner ein. Der Pfeffer kann auch bei der Verwendung im Essig bleiben. Dann brauchst du die Speisen nicht zusätzlich zu pfeffern.

9. Zitronenessig

Zwei bis drei Bio-Zitronen und ein Liter Weißweinessig werden für dieses Rezept benötigt. Um den Essig zuzubereiten, ziehe die dünne, obere, gelbe Zitronenschale mit einem Sparschäler ab und gib sie in ein Gefäß, eventuell zusammen mit ein bis zwei Zitronenscheiben. Gieße die Zutaten mit Essig auf, lass sie zwei Wochen lang an einem dunklen Ort stehen und filtere sie anschließend. Der Zitronenessig eignet sich prima für alle Salate, aber auch für Soßen, besonders zu Lammfleisch.

10. Lavendelessig

Er wird hergestellt, indem zwei Handvoll Lavendelblüten mit Apfelessig aufgegossen und in der Sonne stehen gelassen werden. Nach zwei Wochen wird er gefiltert. Dieser Essig hat eine beruhigende Wirkung und hilft beim Einschlafen sowie gegen leichte Kopfschmerzen, wenn der aufsteigende Essigduft eingeatmet wird.

⊕ smarticular.net/kraeuteressig

Balsamico-Creme

Wer viel frisches Gemüse und Salate isst, weiß das wunderbare Aroma reichhaltiger Öle und Essige zu schätzen. Besonders beliebt in der italienischen Küche ist Balsamico-Creme, die mit ihrem fruchtigen, süß-säuerlichen Geschmack allen Salaten den letzten Schliff verleiht und auch optisch viel hermacht.

Ein Produkt ohne Plastikflasche zu finden, ist leider nicht einfach, zudem ist handelsübliche „Crema di Balsamico" recht kostspielig.

Zum Glück ist es gar nicht so schwierig, diese köstliche Würze selbst herzustellen. Das Ergebnis kommt dem Original sehr nahe und eignet sich als edles Geschenk, wenn es in dekorative Flaschen abgefüllt wird.

▶ Zubereitung der Balsamico-Creme

Abgesehen von den folgenden Zutaten ist lediglich etwas Geduld erforderlich. Je nach gewählten Ausgangsprodukten können immer neue Varianten kreiert werden, die so im Handel nicht zu finden sind.

Das wird benötigt:

500 ml Fruchtsaft – für helle Crema: Birnen, Äpfel, Quitten; für dunkle Crema: Trauben, Johannisbeeren, Pflaumen, Brombeeren

500 ml Essig, am besten selbst gemachter Kräuteressig (siehe Seite 46) oder hausgemachter Apfelessig (siehe Seite 44); alternativ Rotweinessig, Weißweinessig, Balsamico-Essig oder anderer Obstessig, jedoch keine Essig-Essenz

1–2 EL Rohrzucker oder Honig (für eine liebliche Note)

Gewürze nach Belieben, etwa Zimt, Nelken, Anis, Kardamom, Chili, Muskat und Thymian

Flaschen zur Aufbewahrung

So wird die Balsamico-Creme eingekocht:

1. Alle Zutaten in einen großen, flachen Topf füllen (mit großer Oberfläche geht das Einkochen schneller).

2. Unter Rühren kurz aufkochen.

3. Die Wärme so weit reduzieren, dass die Mischung nur noch am Siedepunkt zieht, aber nicht mehr sprudelnd kocht.

4. Ohne Deckel leise köcheln lassen und gelegentlich umrühren, während die Balsamico-Creme für die nächsten ein bis zwei Stunden langsam reduziert.

5. Nach etwa einer Stunde feste Gewürze wie Nelken herausfischen, solange die Mischung noch flüssig genug ist.

6. Damit nichts anbrennt, weiterhin gut umrühren, bis die gewünschte, sirupartige Konsistenz erreicht ist.

7. Den Topf vom Herd nehmen, etwas abkühlen lassen und in vorbereitete Flaschen füllen.

Während des Einkochens verbreitet sich der intensive Duft in der ganzen Wohnung, deshalb solltest du gut lüften. Angenehmer Nebeneffekt: Schlechte Gerüche, zum Beispiel in Raucherwohnungen, werden dadurch effektiv beseitigt.

⊕ *smarticular.net/balsamico-creme*

Schneller Ketchup ohne Kochen

Wer Pommes frites oder Burger liebt, der hat auch Ketchup im Haus. Im herkömmlichen Ketchup aus dem Supermarkt ist jedoch neben einer ganzen Reihe von Zusatzstoffen wie Emulgatoren und Aromen enorm viel Zucker enthalten. Je nach Sorte finden sich in 100 Gramm Ketchup etwa 17 bis 24 Gramm Kristallzucker! Selbst bei Bio-Produkten sieht es nicht viel besser aus.

Wer auf seine Ernährung achtet und nebenbei noch Geld sparen will, kann sich seinen Ketchup selber machen. Mit diesem Rezept ist das auch kinderleicht und blitzschnell erledigt. Die Grundzutaten sind allesamt sehr einfach und preiswert.

Du benötigst folgende Zutaten:

80 g	Tomatenmark
1 Msp.	Paprikapulver
½ TL	Salz
2	Datteln
50 ml	Wasser
1 EL	Apfelessig (siehe Seite 44)

So geht's:

1. Alle Zutaten zusammen in einer Schüssel für eine halbe Stunde einweichen.

2. Zu einer cremigen Masse pürieren.

3. Frisch genießen.

Da dieser Ketchup nahezu ohne Konservierungsmittel auskommt (die verwendete Menge an Apfelessig und Salz reicht nicht aus, um zu konservieren, sondern dient eher dem Geschmack) und auch nicht gekocht wird, ist er nicht besonders lange haltbar.

Am besten ist es, wenn du ihn immer dann frisch zubereitest, wenn du ihn gerade brauchst. Weil du für dieses Rezept keine frischen Tomaten benötigst, kannst du den Blitz-Ketchup das ganze Jahr über mixen.

Hokkaido-Ketchup

Im Sommer gibt es köstliche Fleischtomaten und leckere Hokkaido-Kürbisse: genau die richtige Zeit, um diese fruchtig-aromatische Ketchup-Variante einzukochen.

Du brauchst:

400 g	Hokkaidokürbis
2	Fleischtomaten
2	Zwiebeln
3	Knoblauchzehen
1	Chilischote
4	Nelken
2	Lorbeerblätter
1 Zacken	Sternanis
6 EL	Olivenöl
4 EL	Honig oder eine andere Zuckeralternative
4 EL	Weißweinessig

So funktioniert's:

1. Hokkaido waschen, von den Kernen befreien und grob zerteilen.

2. Stielansatz der Tomaten entfernen, Fruchtfleisch grob zerkleinern.

3. Zwiebeln schälen und grob würfeln.

4. Knoblauch schälen, Keim entfernen, grob hacken.

5. Kerne der Chilischote entfernen, Chili grob zerkleinern.

6. Olivenöl in einem Topf erwärmen. Zwiebeln, Knoblauch, Chili, Agavendicksaft und Gewürze darin anschmoren.

7. Kürbis, Tomaten, Essig und etwas Salz dazugeben.

8. Abdecken und bei niedriger Temperatur etwa 15 Minuten lang garen.

9. Ketchup durch ein Küchensieb passieren und noch heiß in ein steriles Schraubglas füllen.

10. Glas verschließen und abkühlen lassen.

Bei möglichst keimfreier Verarbeitung hält sich der Hokkaido-Ketchup ungeöffnet ein Jahr lang. Wenn das Glas geöffnet ist, bleibt der köstliche Dip etwa drei Wochen lang im Kühlschrank frisch.

⊕ *smarticular.net/ketchup*

Mayonnaise: Grundrezept und Varianten

In vielen Haushalten ist Mayonnaise eine unabdingbare Zutat für Speisen wie Burger, Sandwiches, Pommes und Salate. Im Supermarkt gibt es zahlreiche Varianten von Aioli über Rouille bis zur Remoulade mit Kräutern. Die cremigen Fettbomben aus dem Glas enthalten jedoch meist neben den wirklich notwendigen Zutaten künstliche Emulgatoren, Aromastoffe, Farbstoffe, Konservierungsmittel und andere chemische Zusätze.

Stelle deine Mayonnaise doch einfach selbst her! Das gilt zwar heutzutage schon als hohe Schule der Kochkunst, aber in Wirklichkeit ist es ganz einfach.

▶ Grundrezept

Zur Herstellung einer Mayo, die um Längen besser schmeckt als eine aus dem Glas, bedarf es weder exotischer Zutaten noch besonders großen Könnens.

Du brauchst:

1	Eigelb
1 TL	Senf
250 ml	Öl (z. B. Rapsöl, Sonnenblumenöl)
1 EL	Zitronensaft
	Salz und Pfeffer

So gelingt's:

1. Senf und Eigelb glattrühren.

2. Langsam und in dünnem Strahl das Öl zugeben und mit einem Schneebesen beständig unterrühren. Am Anfang wirklich nur ganz wenig. Wenn die Masse allmählich zunimmt, kann das Öl etwas schneller zugegeben werden.

3. Immer weiter schlagen, bis sich die Mayo in der Schüssel zu einer Kugel zusammenrollt.

4. Zitronensaft, Salz und Pfeffer nach Belieben unterrühren.

Schon ist die Mayonnaise fertig und kann zum Verfeinern von Salaten verwendet werden. Oder du genießt sie zu Pommes, Burgern und Sandwiches.

> **Tipp:** Alle Zutaten sollten bei der Verarbeitung in etwa die gleiche Temperatur haben. Eier und Senf also nicht direkt aus dem Kühlschrank verwenden.

▶ Variante 1: Die Rouille

Freunde der französischen Küche lieben die noble Rouille, die beispielsweise zu Fischsuppen wie der klassischen Bouillabaisse gereicht wird. Besondere Zutaten der Rouille sind frische Safranfäden. Einfach ein paar der roten Fäden unter die Mayo aus dem Grundrezept rühren, etwas fein gehackten Knoblauch dazu – Bon Appétit.

▶ Variante 2: Aioli

Mediterran wird es mit der knoblauchhaltigen Aioli, die gern zu Gegrilltem gereicht wird. Zum Grundrezept, das du für noch mehr Mittelmeer-Aroma auch mit Olivenöl anrichten kannst, kommt reichlich fein gehackter Knoblauch.

> **Tipp:** Damit am nächsten Tag nicht jeder schon auf tausend Meter riecht, dass du Knoblauch gegessen hast, empfiehlt es sich, vor dem Hacken den Keim aus der Zehe zu entfernen. Das macht den Knoblauch auch bekömmlicher.

▶ Variante 3: Remoulade

Mit vielen frischen, fein gehackten Kräutern wird aus der einfachen Mayonnaise eine schmackhafte Remoulade. Von einer zünftigen Petersilie-Knoblauch-Mischung bis hin zur feinen Estragon-Dill-Variante ist alles möglich. Passt zu frittiertem Fisch oder aufs Sandwich.

⊕ *smarticular.net/mayo*

Vegane Alternative zu Mayonnaise

Wie viele andere Speisen lässt sich auch Mayonnaise ohne Ei und andere tierische Produkte herstellen. Mit dem Mixer oder einem starken Pürierstab geht das einfach und schnell.

Dafür werden benötigt:

125 ml	Sojadrink (siehe Seite 153)
125 ml	Rapsöl
2 EL	Weißwein-Essig oder Zitronensaft
1 TL	Senf
	Zitronensaft
	Pfeffer und Salz
1 EL	Agavendicksaft (optional)

So wird's gemacht:

1. Sojadrink und etwas Zitronensaft in den Mixer geben und kräftig mixen.
2. Bei laufendem Mixer sehr langsam das Öl dazugießen. Die Masse wird schnell fest.
3. Essig oder noch mehr Zitronensaft und bei Bedarf auch etwas Agavendicksaft unterrühren.
4. Mit Salz und Pfeffer würzen.

Tipp: Wenn die Konsistenz nicht genau passt, etwas mehr Sojadrink oder Rapsöl dazugeben.

Aus der Natur

7 kostenlose Superfoods

Seit einigen Jahren ist das Modewort „Superfoods" in aller Munde. Der Begriff ist nur sehr grob umrissen, aber prinzipiell gilt fast alles als Superfood, was einen besonders hohen Gehalt an Vitaminen, Mineralien oder speziellen sekundären Pflanzenstoffen aufweist. Dazu kommen aphrodisierende Eigenschaften, Steigerung der Leistungsfähigkeit und sogar Glücksgefühle.

All diese Eigenschaften haben natürlich ihren Preis, und so kosten exotische Superfoods wie Goji-Beeren, Maca und Matcha durchaus 150 Euro pro Kilo oder mehr. Dabei wird oft übersehen, dass es auch in unseren Breiten viele regionale Alternativen zu den typischen Superfoods gibt. Einige dieser Alternativen sind sogar völlig kostenlos in der freien Natur zu finden. Auf zum Ernten!

▶ Superfoods aus der Natur

Die besten regionalen Superfoods sind völlig kostenlos, sie liegen sprichwörtlich auf der Straße oder, besser gesagt, wachsen direkt am Waldweg. Sie kosten dich keinen Cent, sondern nur etwas Achtsamkeit, Wissen, Geduld und Bewegung an der frischen Luft, die, für sich genommen, schon fast genauso gut für die Gesundheit ist wie jedes Superfood.

Alle pflanzlichen Lebensmittel, die du im Supermarkt findest, stammen ursprünglich von Wildpflanzen ab. Oft wurden sie aber auf Aussehen, Geschmack und Ertrag hin gezüchtet. Dabei blieben viele Nährstoffe auf der Strecke, und so kommt es, dass Wildgemüse heutzutage viel nährstoffreicher ist als Kulturgemüse und Obst aus hochgezüchteten Monokulturen. Nachfolgend findest du eine kleine Auswahl der wilden und völlig kostenlosen Schätze, die es wirklich in sich haben!

▶ 1. Brennnessel

An allererster Stelle steht bei uns die Brennnessel. Sie wächst schnell und ist in fast allen Gärten, Parks und in der freien Natur zu finden. Auch wenn ihre Brennhaare Respekt einflößen, bilden Blätter und Samen der Brennnessel einen der besten Schätze, den die Natur bereithält. Die Brennnessel ist reich an Kalzium, Kalium, Phosphor und Magnesium, liefert dreimal so viel Vitamin C wie Grünkohl und Rosenkohl und mehr Vitamin A als Spinat.

Dazu kommt, dass die Brennnessel eine der besten grünen Eiweißquellen überhaupt darstellt. Die gesamte Pflanze und insbesondere ihre Samen enthalten so viele wertvolle Aminosäuren, dass es sich lohnt, aus ihnen ein natürliches Proteinpulver herzustellen (siehe Seite 147).

Auch für die Liebe können Brennnesselsamen hilfreich sein, denn sie sind ein natürliches Aphrodisiakum.

▶ 2. Weißer Gänsefuß

Der Gänsefuß wird bei uns meist nur als Unkraut verflucht. In China und Indien wird er jedoch hochgeschätzt und sogar angebaut.

Gänsefuß ist eine der vitalstoffreichsten Wildpflanzen in Mitteleuropa. Er besticht besonders durch seinen hohen Gehalt an Kalium, Magnesium, Vitamin C und Eiweiß. Du kannst die jungen Blätter wie Spinat zubereiten und die Knospen zu Salaten geben. Beachte aber, dass der Gänsefuß auch Oxalsäure und Saponine enthält, weshalb nicht mehr als 400 Gramm gekochte Gänsefußblätter täglich verzehrt werden sollten.

Aus der Natur

▶ 3. Löwenzahn

Der Löwenzahn ist ebenso häufig anzutreffen und wird von Liebhabern des englischen Rasens verflucht. Im Vergleich mit anderen Wildpflanzen enthält er nur durchschnittliche Mengen an Mineralstoffen, Vitaminen und Eiweißen. Dennoch sind seine Werte immer noch viel höher als bei den meisten kultivierten Salaten und Gemüsesorten.

Was den würzig-aromatischen Löwenzahn so besonders macht, ist seine positive Wirkung auf die Verdauung und als Muntermacher.

Aus Löwenzahnblüten lässt sich ein köstlicher Sirup herstellen, die Blätter ergeben einen heilsamen Tee, und seine Wurzeln kannst du sogar als Kaffee-Ersatz nutzen!

▶ 4. Hagebutte

Unter den Top 5 der Vitamin-C-reichsten Früchte der Welt finden sich gleich zwei bei uns heimische Wildfrüchte. Die erste ist die Hagebutte, die bis zu 1.250 Milligramm Vitamin C je 100 Gramm Früchte enthält. Das ist weit mehr als bei allen Zitrusfrüchten! Sie wirkt besonders gesundheitsfördernd auf unsere Verdauungsorgane, muntert auf und verleiht uns Energie in der kalten Jahreszeit.

Ein besonders gesunder Aufguss für Nieren und Blase ist Kernlestee, den du aus Hagebuttenkernen herstellen kannst.

▶ 5. Sanddorn

Neben Hagebutten haben auch Sanddorn-beeren einen besonders hohen Gehalt an Vitamin C, er beträgt bis zu 450 Milligramm je 100 Gramm frische Früchte. Du kannst die sauren Beeren frisch vom Strauch na-schen oder zu köstlichem Saft und Gelee verarbeiten.

▶ 6. Heidelbeere

Die Heidelbeere oder auch Blaubeere ist eines der am höchsten geschätzten Superfoods. Sie gilt als wertvoller Vital-stofflieferant, wirkt entzündungshem-mend und unterstützt die Verdauung. Ihre Antioxidantien machen sie zu ei-nem Anti-Aging-Mittel und können auch bei der Krebsvorsorge helfen.

Besonders geschätzt wird der hohe An-teil an Anthocyanen, einer Gruppe se-kundärer Pflanzenstoffe. Sie besitzen eine sehr hohe antioxidative Wirkung und schützen so die Zellen vor Schäden durch freie Radikale. Diese Wirkstoffe sind auch für die dunkle Farbe der Hei-delbeeren verantwortlich und kommen in großen Mengen auch in anderen blau, violett oder rot gefärbten Beeren vor. Insbesondere Holunder und Schwar-ze Johannisbeere sind unter den heimischen Sorten zu nennen.

Im Juli und August kannst du wilde Heidelbeeren in vielen Laub- und Nadelwäl-dern finden. Da die meisten Heidelbeeren sehr flach wachsen, wird vermehrt vor dem Fuchsbandwurm gewarnt. Wenn du kein Risiko eingehen möchtest, kannst du die Früchte vor dem Verzehr kochen. Dabei gehen allerdings auch viele der Vitamine verloren.

▶ 7. Lindenblüten

Die Lindenblüte solltest du auf keinen Fall verpassen, denn die vielen kleinen Blüten sind ein wahrer Segen für die Gesundheit. Anstatt Lindenblüten im Reformhaus zu kaufen, sammeln wir jedes Jahr mehrere Körbchen und trocknen sie als Tee für den Winter.

In den Blüten enthaltene Vitalstoffe stärken die Immunabwehr, wirken schmerzlindernd bei Rheuma, Migräne, Magen- und Unterleibsschmerzen, sind beruhigend und schlaffördernd und helfen dabei, Giftstoffe zu verdauen und auszuleiten.

⊕ smarticular.net/kostenlose-superfoods

Ingwer und Kurkuma anbauen

Ingwer ist aus der gesunden Küche nicht mehr wegzudenken. Auch Kurkuma, ebenfalls ein Ingwergewächs mit zahlreichen gesundheitsfördernden Eigenschaften, erfreut sich zunehmender Beliebtheit.

Ingwer wirkt besonders effektiv bei Verdauungsbeschwerden, Reisekrankheit und sonstiger Übelkeit. Er ist schmerzhemmend, beugt Erkältungen vor und ist darüber hinaus ein natürliches Aphrodisiakum, um nur einige der zahlreichen Wirkungen zu nennen.

Auch **Kurkuma** ist wirksam gegen Entzündungen und wirkt antiseptisch bei Erkältungskrankheiten. Selbst eine krebshemmende Wirkung ist mittlerweile wissenschaftlich erwiesen.

Beide Pflanzen lassen sich ganz einfach zu Hause im Blumentopf vermehren. Deine gesamte Anfangsinvestition besteht in einem Stück der frischen Ingwer- oder Kurkumaknolle. Dabei handelt es sich um das Rhizom der Pflanze, das notwendig ist, damit sich die Ingwergewächse unterirdisch vermehren. Zu Beginn des Frühjahrs ist die beste Zeit, um die Zucht zu starten.

So baust du die hilfreichen Knollen an:

1. Knolle über Nacht in warmes Wasser einlegen.

2. Einen Blumentopf (am besten eignet sich eine große, flache Schale) zu zwei Dritteln mit nährstoffreicher Erde füllen.

3. Rhizom in die Erde setzen.

4. Mit etwa zwei Zentimetern Erde oder noch besser Humus bedecken und leicht andrücken.

5. Vorsichtig mit leicht warmem Wasser befeuchten, am besten mit einer Sprühflasche.

6. Damit die tropische Pflanze genügend Luftfeuchtigkeit bekommt, den Topf mit Folie abdecken, jedoch nicht ersticken.

7. An einen hellen, warmen Platz ohne Luftzug und direkte Sonnenein- strahlung stellen.

8. Täglich mit einer Sprühflasche befeuchten.

9. Wenn sich nach ein paar Wochen der erste Trieb zeigt, ist es an der Zeit, die Pflanze umzutopfen und an einen sonnigen Ort zu stellen.

10. Nach acht bis zehn Monaten Geduld ist es dann so weit: Du kannst deine ersten selbst gezogenen Knollen ernten.

▶ Ingwer und Kurkuma ernten

Entweder erntest du gleich die gesamte Wurzel, oder du schneidest ein großes Stück der Wurzel ab und gibst dem Rest die Chance, sich weiterzuvermehren.

In der Vegetationspause sollte die Pflanze in einem dunklen, etwa zehn Grad kühlen Raum ohne Gießen überwintern.

🌐 *smarticular.net/ingwer-anbauen*

Kräutertee von der Fensterbank

Viele heimische Teesorten lassen sich selbst im Winter ganz einfach auf der Fensterbank anbauen. Wenn du dabei einige Regeln beachtest, kannst du das ganze Jahr über auf getrockneten Kräutertee im Beutel verzichten. Der Anbau ist denkbar einfach.

Es werden benötigt:

- Blumentöpfe oder besser Pflanzkästen mit Bewässerungssystem für optimales Wachstum
- Pflanzerde für Kräuter
- Saatgut oder vorgezogene Kräuter im Topf

Beim Anbau in der Wohnung gibt es einiges zu beachten:

- Der richtige Standort ist wichtig. Die meisten Kräuter lieben es warm, aber nicht zu warm. Licht ist hingegen im Winter Mangelware, deshalb sollte der Standort so hell wie möglich sein. Ideal ist ein helles Fensterbrett in der Küche oder im Schlafzimmer. Noch besser wäre – sofern vorhanden – ein heller Platz im Wintergarten.

Aus der Natur

- Für ausreichend Wasser muss gesorgt sein. Kräuter mögen jedoch keine Staunässe und faulen schnell. Verwende deshalb am besten einen Pflanzkasten mit integriertem Bewässerungssystem.

- Gib deinen Pflanzen ausreichend Zeit zum Wachsen. Wenn du dem zarten Spross die lebenswichtigen Blätter nimmst, dauert die Freude nicht lange. Erst wenn die Pflanze ausreichend groß und robust ist, können nach und nach einzelne Blätter oder Stängel (je nach Pflanze) für die jeweils frische Tee-Zubereitung entfernt werden.

- Viele Kräuter wachsen in immer neuen Trieben aus der Wurzel. Bei diesen sollten nicht einzelne Blätter, sondern immer gleich ein ganzer Stängel geerntet werden.

- In den warmen Monaten kannst du die Pflanzen auch auf Balkon oder Terrasse umsiedeln. Dann werden sie besonders kräftig und bauen Masse für den Winter auf.

Die meisten Gartenkräuter sind mehrjährig und halten bei guter Pflege problemlos mehrere Jahre.

Viele verschiedene Sorten eignen sich für die Aufzucht auf der Fensterbank. Im Zweifel hilft Ausprobieren – wenn mal eine Pflanze eingeht, ist der Schaden meist gering. Besonders aromatisch und einfach zu ziehen sind diese Kräuter:

- Salbei

- Zitronenmelisse

- Zitronenthymian

- Marokkanische Minze

- Apfelminze

- Zitronenbasilikum

- Melisse

Frisch gebrüht, entfaltet der Tee sein besonderes Aroma, das durch einen kleinen Schuss Zitrone noch verstärkt wird.

⊕ smarticular.net/kraeutertee-fensterbank

Sprossen

Sprossen und Keimlinge sind die wahrscheinlich gesündesten und frischesten Lebensmittel, die es gibt. Jeder kann sie leicht auf der Fensterbank ziehen und auf diese Weise selbst mitten im Winter frische Vitamine und andere Vitalstoffe erhalten. Und weil diese selbst gezogenen Nährstoffpakete ohne Transport und industrielle Verarbeitung auskommen, sind sie auch noch ökologischer als alles aus dem Laden.

▶ Warum sind Sprossen so gesund?

Samenkörner sind kleine Wunder der Natur. In ihnen ist bereits alles vorhanden, was für das Wachstum einer gesunden Pflanze benötigt wird, unter anderem zahlreiche Vitamine, Mineralstoffe, Eiweiße und Stärke. Während des Aufkeimens bilden sich viele komplexere Nährstoffe und Enzyme, die den Keimling noch wertvoller machen als die bloßen Samen. Nur wenige Kulturgemüse können mit einer solchen Vielfalt lebenswichtiger Vitalstoffe mithalten.

Aber auch die Art der Herstellung macht Sprossen so gesund. Anders als andere Pflanzen und selbst Bio-Gemüse entstehen sie direkt aus dem Samenkorn und kommen ohne weitere Verarbeitungsschritte oder Transportwege auf den Teller. Dafür sind weder Spritzmittel noch Konservierungsstoffe oder sonstige Zusätze notwendig.

▶ Sprossen selbst ziehen

Zur Sprossenzucht sind lediglich ein Anzuchtgerät, Bio-Samen sowie etwas Geduld erforderlich. Im einfachsten Fall reicht zur Anzucht ein sauberes Schraubglas mit luftdurchlässiger Abdeckung. Wer seinen Speiseplan regelmäßig mit frischen Sprossen bereichern möchte, für den lohnt es sich unter Umständen, eines oder mehrere Keimgläser oder ein Etagen-Anzuchtgerät anzuschaffen. Der Vorteil dieser Lösungen besteht in der einfachen Handhabung sowie in der Möglichkeit, verschiedene Saaten parallel keimen zu lassen.

Wir verwenden die einfache Schraubglas-Methode und haben uns die passenden Deckel mit Löchern ganz einfach selbst hergestellt, indem wir die Deckel mit einem spitzen Dorn durchlöchert haben. Die Aufzucht vom Korn bis zum verzehrfertigen Keimling erfolgt in wenigen Schritten.

▶ Schritt 1: Vorbereitung der Gläser

Weil die zarten, jungen Pflänzchen anfällig für Schimmel sind, ist sauberes Arbeiten besonders wichtig. Wasche die verwendeten Gläser und Werkzeuge vor der Benutzung besonders gründlich. Benutzte Gläser von vorherigen Keimvorgängen sollten mit Essigwasser gespült werden, um etwaige Schimmelsporen unschädlich zu machen.

▶ Schritt 2: Samenkörner spülen

Nicht nur die Gläser, auch das verwendete Saatgut sollte möglichst sauber sein. Dafür werden die Körner vor Verwendung ausgiebig mit klarem Wasser gespült. Du kannst ein Sieb verwenden oder die Körner ins Keimglas füllen und anschließend drei- bis viermal mit Wasser auffüllen und wieder abgießen.

Manche Sprossen-Gärtner verwenden dafür nur stilles Mineralwasser oder gefiltertes Wasser. Wir haben die Erfahrung gesammelt, dass Leitungswasser ebenfalls gut funktioniert. Lass dazu das Wasser zunächst für etwa 20–30 Sekunden laufen, damit abgestandenes Wasser aus Hahn und Rohrleitung abfließen kann.

▶ Schritt 3: Samenkörner einweichen

Nachdem die Körner gereinigt wurden, müssen sie für mehrere Stunden in Wasser einweichen. Die erforderliche Einweichdauer hängt von der verwendeten Saat ab und variiert zwischen vier und zwölf Stunden (siehe Tabelle auf Seite 70). Während dieser Zeit saugen sich die Körner mit Wasser voll, der Keimungsmechanismus wird aktiviert.

▶ Schritt 4: Sprossenwachstum

Nach Ablauf der Einweichzeit werden die Körner zum ersten Mal gespült. Gieße dazu das Einweichwasser ab, fülle mit frischem Wasser auf, und gieße es wieder ab. Hierbei zeigt sich der Vorteil fertiger Keimgläser mit Siebaufsatz: Das Spülen geht damit besonders schnell und einfach, ohne dass das Glas geöffnet werden müsste.

Die jetzt beginnende Keimdauer beträgt je nach Sorte zwischen einem und acht Tagen (siehe Tabelle). Während dieser Zeit sollten deine Keimgläser an einem möglichst hellen Platz ohne direkte Sonne stehen. Um Staunässe zu vermeiden, sollten sie mit der Öffnung schräg nach unten aufgestellt werden, zum Beispiel in einem leeren Blumenkasten oder mit speziellen Glasständern. Wir haben auch schon erfolgreich Sprossen in Gläsern gezogen, wenn diese ganz normal aufrecht standen. Die Gefahr von Schimmelbildung ist dabei aber größer.

Im weiteren Verlauf müssen die keimenden Samen zwei- bis dreimal täglich gespült werden wie zu Beginn der Keimdauer. Das regelmäßige Spülen mit frischem Wasser und anschließende Abtropfen im Keimglas ist notwendig, damit starke Keimlinge entstehen und sich kein Schimmel bildet.

Nach ein bis zwei Tagen entstehen watteartige, mit weißem Flaum bedeckte Faserwurzeln, die nicht mit Schimmel verwechselt werden sollten. Aus ihnen bilden sich später richtige Wurzeln heraus.

▶ 5. Ernte

Nach Ablauf der empfohlenen Keimdauer kannst du ernten! Dazu spülst du die fertigen Sprossen ein letztes Mal. Frisch und knackig sind sie nun verwendbar, um viele Speisen zu bereichern.

Wenn du nicht sicher bist, kannst du auch vorher schon einige Sprossen aus dem Glas nehmen und probieren. Beachte die angegebene Keimzeit in der tabellarischen Übersicht. Bei zu zeitiger Ernte ist der Ertrag eher gering. Verpasst du hingegen den optimalen Erntezeitpunkt, können je nach Sorte sehr bittere Stoffe oder andere, unerwünschte Pflanzeninhaltsstoffe entstehen.

▶ Serviervorschläge

Die fertigen Sprossen kannst du auf vielfältige Weise in frischen oder gekochten Speisen verarbeiten. Nur zu langes Erhitzen solltest du vermeiden, weil dadurch einige der wertvollen Vitalstoffe wieder zerstört werden.

Wie die Ursprungspflanzen besitzen auch Sprossen einen ganz individuellen Geschmack. Getreidearten liefern eher milde bis süße Sprossen, Radieschen und Rettich werden scharf, Linsen pikant, Bohnen und Sonnenblumenkerne nussig. Streue sie zum Beispiel frisch direkt aufs Brot mit Butter, Quark oder Frischkäse. Salate kannst du mit den Sprossen ebenfalls bereichern. Streue sie über Pasta und Suppen, oder verwende sie als kleine, frische Beilage zu allen herzhaften Gerichten.

Die Keimlinge von Mungbohnen (gibt es fertig auch als Sojasprossen zu kaufen) enthalten im rohen Zustand Toxine. Damit sie genießbar werden, solltest du sie vor dem Verzehr kurz in kochendem Wasser blanchieren.

▶ Keimtabelle

Von fast allen essbaren Pflanzen lassen sich die Samen zur Sprossenkeimung verwenden. Nicht geeignet sind jedoch Nachtschattengewächse wie etwa Tomaten. Verwende nur Samenkörner in Bio-Qualität, deren Keimfähigkeit bestätigt ist. Viele Hersteller bieten spezielle Samen oder auch Samenmischungen an, vielleicht sogar im Bioladen in deiner Nähe.

Wir haben ebenfalls sehr gute Erfahrungen mit Bio-Getreide gesammelt. Für Anfänger besonders gut geeignet sind Mungbohnen, weil sie sehr gut und sehr kräftig keimen und hervorragende Erträge liefern.

Die empfohlene Einweich- und Keimdauer für verschiedene Saaten kannst du der folgenden Tabelle entnehmen.

Samen von ...	Einweichdauer (Stunden)	Keimdauer (Tage)
Alfalfa (Luzerne)	4	7–8
Amaranth	8	3–5
Bockshornklee	6	3–5
Brokkoli	12	3–5
Buchweizen	6	2–3
Dinkel	12	3–4
Erbsen	12	3–4
Kichererbse	12	3–4
Kresse *	–	6–8
Kürbis	12	3–4
Linsen	12	3–4
Mungbohnen **	12	4–5
Quinoa	6	6–7
Radieschen *	12	4–5
Roggen	12	3–4
Rotklee	8	6–7
Schwarze Bohnen	12	3–4
Sojabohnen	12	3–4
Sonnenblumen	6	2–3
Vollkornreis	12	3–4
Weizen	12	2–4

* auch als Grünkraut   ** Keimlinge blanchieren

⊕ *smarticular.net/sprossen*

Gebäck

Brot backen im Kochtopf

Du isst gern Brot, selbst zu backen ist dir jedoch zu aufwendig? Mit der folgenden Methode ist das Brotbacken überraschend einfach. Der Arbeitsaufwand ist minimal, und das fertige Brot überzeugt in jeder Hinsicht. Außer Wasser brauchst du für dieses Rezept nur Mehl, Salz, Hefe und, wenn du möchtest, einige Nüsse oder Saaten.

Weil im geschlossenen Topf und nicht etwa auf dem Backblech gebacken wird, bleibt das Brot innen saftig, und außen entsteht eine tolle Kruste.

▶ Welche Töpfe eignen sich fürs Brotbacken?

Zum Backen eignen sich alle ofenfesten Töpfe mit dicht schließendem Deckel. Beachte die Angaben des Herstellers zur Temperaturbeständigkeit! Besonders empfehlenswert sind gusseiserne Töpfe mit Deckel und einem Volumen von etwa drei Litern. Alternativ können auch hochwertige Edelstahl- oder Keramiktöpfe für den Ofen verwendet werden.

▶ Backanleitung für Brot aus dem Topf

Benötigte Zutaten und Gerätschaften:

1 kg	Mehl, auch Vollkornmehl ist geeignet
2–3 gest. TL	Salz
1 gest. TL	Trockenhefe oder ⅙ Hefewürfel
800 ml	lauwarmes Wasser (bei Vollkornmehl 900 ml)
1 Handvoll	gehackte Walnüsse, Sonnenblumen- oder Kürbiskerne (optional)
1–2 TL	Kreuzkümmel oder Sesam zum Bestreuen (optional)
1	ofenfester Topf
1	große Schüssel

Wenn du Nüsse, ganze Getreidekörner, Getreideschrot oder Saaten in deinen Teig einarbeiten möchtest (nicht mehr als 30 Prozent der Mehlmenge verwenden), empfiehlt es sich, diese zuvor mit kochendem Wasser zu übergießen und einige Stunden lang bei Zimmertemperatur quellen zu lassen. Das dauert je nach Zutat zwei bis sechs Stunden. Damit keine unerwünschte Gärung einsetzt, wird das Salz schon jetzt dem sogenannten Brühstück beigemischt, anstatt es später zum Teig zu geben.

So gehst du vor:

1. Mehl, Salz, Hefe und optional gequollene Nüsse oder Kerne in einer großen Schüssel mischen, Wasser zugeben und nur grob zu einem Teig verrühren. Nicht kneten.

2. Den Teig mit einem Geschirrtuch zudecken und an einem warmen, nicht zugigen Ort für 12 bis 24 Stunden gehen lassen.

3. Den Backtopf samt Deckel bei Ober- und Unterhitze im Ofen auf 250 °C aufheizen.

4. Den Teig vom Rand zur Mitte hin einmal ringsherum abschaben und aus der Schüssel in den ofenheißen Topf kippen.

5. Mit Kreuzkümmel oder Kernen bestreuen.

6. Bei geschlossenem Deckel eine Stunde lang bei 250 °C auf der mittleren Schiene backen.

Gebäck

Hole nach Ablauf der Backzeit den Topf aus dem Ofen. Lass das Brot einige Minuten auskühlen, bevor du den Laib aus dem Topf nimmst. Fertig ist das leckere Vier-Zutaten-Brot!

▶ Variationen und Tipps

Mit den folgenden Tipps und Variationsmöglichkeiten entstehen unzählige, immer neue Brotvarianten auf die gleiche, einfache Weise im Topf:

- Verschiedene Mehlsorten, Nüsse und Kerne sorgen für Abwechslung.

- Je nach Mehlsorte wird möglicherweise etwas mehr Wasser benötigt. Mit jedem Backvorgang erhältst du ein immer besseres Gefühl für das optimale Mischungsverhältnis.

- Damit das Brot im Ton- und im Edelstahltopf nicht anklebt, kannst du den Topf vorher mit Öl auspinseln oder alternativ ein kleines Stück Backpapier auf den Topfboden legen.

- Eine tolle Kruste erhält das Brot im Ton- und im Gusstopf. Eine knusprige Krume entsteht auch im Edelstahltopf, wenn der Deckel nach 50 Minuten entfernt wird und das Brot offen zu Ende backt.

- Wenn du selbst Getreidemilch aus Körnern (siehe Seite 152) herstellst, kannst du den anfallenden Trester ebenfalls im Brotteig verbacken.

⊕ *smarticular.net/brot-im-topf*

Gebäck

Brot backen im Glas

Dieses Brot ist monatelang haltbar und immer frisch, denn es wird direkt im Glas gebacken.

Spezielle Einweckgläser brauchst du dafür nicht, selbst gewöhnliche Schraubgläser kannst du problemlos wiederverwenden. Damit das Brot nach dem Backen aber leicht und unversehrt aus dem Glas zu bekommen ist, sollten die verwendeten Gläser nach oben hin nicht schmaler werden (Sturzgläser).

Abhängig von der gewünschten Brotgröße sind Gläser in unterschiedlichen Größen verwendbar: 250-ml-Gläser für Brötchen, 500-ml-Gläser für kleine Brote und so weiter.

▶ Brot im Glas backen

Für das Brot im Glas werden benötigt:

- Brotteig (geeignete Rezepte siehe Seite 76)
- Öl
- Semmelbrösel
- Sturzgläser

So gelingt es:

1. Gläser von innen einölen und mit Semmelbröseln ausschwenken.

2. Gläser bis zur Hälfte mit Teig befüllen, etwaige Teig- und Ölverschmutzungen von den Glasrändern entfernen.

3. 30 Minuten lang zugedeckt gehen lassen.

4. Gläser ohne Deckel auf einem Blech oder Rost in den vorgewärmten Backofen stellen.

5. Nach Ende der Backzeit die Gläser noch etwa 10 Minuten im geöffneten Ofen abkühlen lassen.

Gebäck

▶ Verschließen und Haltbarkeit

Die Glasränder sollten sauber sein, bevor du den Deckel aufsetzt. Falls das Brot aus dem Glas herausragt, kannst du es einfach mit einem Messer abschneiden.

Für eine Haltbarkeit von mindestens zwei Wochen genügt es, wenn du die Gläser direkt nach dem Herausnehmen verschließt (Vorsicht, heiß!). Diese Methode bietet sich für Weckgläser und Gläser mit Schraubdeckeln an. Sie birgt aber wegen der Kondenswasserbildung die Gefahr, dass der Inhalt leichter schimmelt und die Kruste aufweicht.

Für mehrere Monate wird dein Brot haltbar, wenn du wie folgt vorgehst:

1. Die Gläser so lange abkühlen lassen, bis sich am kurz aufgelegten Deckel kein Kondenswasser mehr bildet. Das ist bei einer Temperatur von circa 90 °C bzw. nach etwa zehnminütigem Abkühlen bei leicht geöffneter Ofentür der Fall.

2. Gläser verschließen und in eine Auflaufform oder ein höheres Backblech stellen. Die Form bis zu einer Höhe von etwa zwei Zentimetern mit warmem Wasser füllen.

3. Die so bestückte Form in den 90 °C warmen Backofen schieben.

4. Gläser nach 30 Minuten Backzeit aus dem Ofen holen und auf einem Rost auskühlen lassen.

Gebäck

▶ Hinweise und Tipps

Damit dein Brot im Glas auch garantiert gelingt und du ab sofort immer frisches Brot auf Vorrat zu Hause hast, noch ein paar Hinweise:

- Um Einweckgläser zu verschließen, ist es wichtig, dass die Gummiringe ordentlich auf dem Glas liegen und die Klammern fest sitzen.

- Nach vollständigem Erkalten können die Klammern der Einweckgläser entfernt werden. Die Deckel halten von allein auf den Ringen, und das Brot kann luftdicht verschlossen gelagert werden.

- Bei wiederverwendeten Einweggläsern mit Schraubdeckel ist der Deckel nur dann vollständig dicht, wenn du ihn zuvor ohne Werkzeug geöffnet hast.

Rezepte: Brot aus dem Einmachglas

Damit du direkt loslegen kannst, haben wir hier zwei Brotrezepte für dich, die immer gelingen. Die angegebene Menge reicht jeweils für circa vier Gläser mit 500 ml Volumen oder etwa acht Brötchen in 250-ml-Gläsern aus.

▶ Olivenöl-Brot im Glas

Dieses leichte und aromatische Brot passt hervorragend zu Suppen, Salaten und würzigem Käse. Du brauchst:

400 g	Weizenmehl oder Weizenvollkornmehl
½ Würfel	frische Hefe oder 1 Päckchen Trockenhefe
100 ml	Olivenöl
250 ml	lauwarmes Wasser
1 TL	Salz

Backanleitung:

1. Hefe und Salz im Wasser auflösen und 15 Minuten zugedeckt stehen lassen.

2. Mehl und Öl unterrühren und zu einem luftigen Teig verkneten.

3. Teig auf die vorbereiteten Gläser (siehe Seite 74) verteilen und drei Stunden lang gehen lassen.

4. Ofen auf 220 °C (Umluft 200 °C) vorheizen.

5. 500-ml-Gläser 25–30 Minuten lang backen, 250-ml-Gläser nur 20 Minuten.

▶ Dinkelbrot im Glas

Ein leicht süßes Vollkornbrot, das ausgezeichnet zu süßen und pikanten Aufstrichen passt. Du benötigst:

500 g Dinkelvollkornmehl (oder 250 g Dinkel- und 250 g Weizenvollkornmehl)

1 Würfel frische Hefe (oder 2 Päckchen Trockenhefe)

2–3 TL Agavendicksaft oder Honig

350–380 ml lauwarmes Wasser

½ TL Salz

So funktioniert's:

1. Hefe und Salz im Wasser auflösen und für 15 Minuten zugedeckt stehen lassen.

2. Mehl unterrühren und gut kneten.

3. Teig auf die vorbereiteten Gläser (siehe Seite 74) verteilen und für 30 Minuten gehen lassen.

4. Ofen auf 220 °C (Umluft 200 °C) vorheizen.

5. 500-ml-Gläser für 25–30 Minuten backen, 250-ml-Gläser nur 20 Minuten.

Für noch mehr Abwechslung probiere es doch mal mit verschiedenen Getreidesorten, oder ersetze einen Teil des Mehls durch Hanfmehl oder Buchweizenmehl. Sonnenblumenkerne, Kürbiskerne, Nüsse und andere knusprige Zutaten verleihen den Broten mehr Biss. Auch Brotgewürze, getrocknete Kräuter oder Rosinen bringen Abwechslung.

⊕ *smarticular.net/brot-im-glas*

Brotgewürz

Hast du schon mal selbst Brot gebacken und warst dann enttäuscht, weil das Ergebnis so gar nicht an frisches Brot vom Bäcker heranreichte und eher fad schmeckte? Womöglich fehlt deiner Rezeptur die richtige Würze!

Fertiges Brot enthält typischerweise eineinhalb bis zwei Prozent Salz (bezogen auf die Mehlmenge). Da die meisten Menschen heute aber ohnehin schon deutlich mehr als die empfohlenen fünf bis sechs Gramm Salz täglich zu sich nehmen und zu viel Salz zum Beispiel Herz-Kreislauf- und Gefäßerkrankungen begünstigt, sollte die Salzmenge im Brot besser reduziert werden. Probiere doch stattdessen mal eine selbst gemachte Brotgewürz-Mischung für ein kräftiges, volles Aroma!

Brotgewürz kann fertig gekauft werden. Viele Fertigmischungen enthalten allerdings Geschmacksverstärker, Salz und Füllstoffe. Dabei ist es kinderleicht, eine eigene Mischung mit ganz persönlicher Note zusammenzustellen.

▶ Grundrezept für Brotgewürz

Für die Grundmischung brauchst du nur vier Zutaten aus dem Gewürzhandel:

> **2 EL** Kümmel (appetitanregend, verdauungsfördernd)
>
> **2 EL** Anis (anregend auf den Magen-Darm-Trakt)
>
> **2 EL** Fenchel (beruhigend)
>
> **2 EL** Koriander (appetitanregend, verdauungsfördernd)

Natürlich ist es möglich, dass du die Gewürze bereits fertig gemahlen kaufst und einfach zusammenmischst. Für ein kräftigeres Aroma erwirbst du sie aber besser als ganze Körner und mahlst sie frisch.

So gelingt es dir:

1. Alle Gewürze vermischen.

2. Mit einer Gewürzmühle oder einer gereinigten Kaffeemühle mahlen.

3. In einem luftdichten Gefäß aufbewahren.

Je nachdem, ob du kräftiges oder eher mildes Brot bevorzugst, reichen ein bis zwei Esslöffel der fertigen Mischung für ein Brot aus 500 Gramm Mehl aus.

> **Tipp:** Wenn du die Gewürze erst unmittelbar vor der Brotzubereitung mahlst, verlieren sie am wenigsten ätherische Öle und entfalten ihr volles Aroma am besten!

▶ Optionale Zutaten für noch mehr Aroma

Die Mengenanteile der vier Grundzutaten kannst du ganz nach deinem persönlichen Geschmack variieren. Mit den folgenden Zutaten (zusätzlich zur Grundmischung, jedoch nicht alle auf einmal – weniger ist mehr) gelingt es dir, ganz besondere, einzigartige Brot- und Brötchenkreationen zu zaubern. Probiere doch einfach mal aus, welche Zutat im Brot deine Geschmacksnerven am meisten anspricht:

½ TL   geriebene Muskatnuss

½ TL   Kardamom

1 TL   Bockshornklee

1 TL   Schabzigerklee

½ TL   Ceylon-Zimt

½ TL   Pfeffer

4–6   Gewürznelken

Darüber hinaus profitiert ein herzhaftes Kräuterbrot vom kräftigen Geschmack zahlreicher Wildkräuter. Wie wäre es zum Beispiel mit Gundermann, Brennnesselsamen oder Löwenzahn?

🌐 *smarticular.net/brotgewuerz*

Kleine Kuchen und herzhafte Aufläufe im Glas

Wer Kuchen, Muffins und Aufläufe liebt, findet sicher Gefallen an diesen praktischen und lange haltbaren Glasversionen. Sie sind schnell gemacht, platzsparend verpackt und ohne Gefrierschrank lagerfähig.

Wenn überraschend Gäste kommen oder mal keine Zeit zum Kochen oder Backen bleibt, hast du mit diesen köstlichen Gläschen immer einen Vorrat im Haus. Optimal geeignet sind die kleinen Kuchen und Aufläufe außerdem für ein Picknick, auf Reisen oder beim Wandern. Auf einem Partybüfett oder als Geburtstagsmitbringsel werden sie zum Hingucker.

▶ Welche Gläser sind geeignet?

Wie auch beim Brot im Glas (siehe Seite 74) kannst du alle Ein- und Mehrweg-Gläser verwenden, die nach oben hin nicht schmaler werden (Sturzgläser), sodass sich der fertige Kuchen ganz einfach aus dem Glas stürzen lässt. Andere Glasformen mit Twist-off-Deckeln sind ebenfalls geeignet, wenn du die Speisen nicht aus dem Glas stürzen, sondern einfach nur auslöffeln möchtest.

▶ Anleitung: Kuchen und Aufläufe im Glas backen

Folgende Zutaten und Werkzeuge solltest du zum Backen griffbereit haben:

- fertigen Kuchenteig oder eine Auflauf-Mischung
- etwas Öl
- Semmelbrösel oder gemahlene Nüsse
- Gläser

81

Gehe folgendermaßen vor:

1. Die Glasgefäße mit Öl ausstreichen und mit einer Handvoll Semmelbrösel oder gemahlenen Nüssen ausschwenken.

2. In jedes Glas zwei bis vier gehäufte Esslöffel Teig oder Auflaufmasse geben, sodass maximal die Hälfte des Glases gefüllt ist.

3. Die Glasränder von Teig- und Ölverschmutzungen befreien.

4. Befüllte Gläser ohne Deckel in den vorgewärmten Backofen stellen und laut Rezept backen. Kleine Gläser mit einem Volumen von nur 200 Millilitern benötigen etwa zwei Drittel der angegebenen Backzeit.

5. Den Ofen ausschalten und die Gläser bei leicht geöffneter Tür für circa zehn Minuten auskühlen lassen.

▶ **Verschließen und Haltbarkeit**

Die Glasränder sollten sauber sein, bevor du die Gefäße verschließt. Um eine Haltbarkeit von mindestens einem halben Monat zu erhalten, reicht es aus, die Gläser sofort nach dem Herausnehmen zu verschließen.

Für eine längere Haltbarkeit kannst du die verschlossenen Gläser zusätzlich noch pasteurisieren, genau wie beim Rezept für Brot im Glas auf Seite 74. Dort findest du auch weitere Tipps für das Backen im Glas.

▶ **Geeignete Rezepte**

Optimal sind solche Kuchen, in denen klein geschnittene Früchte oder Gemüse versinken dürfen. Ein saftiger Marmorkuchen gelingt immer. Die kleinsten Formen sind nach 20 Minuten fertig. Neben verschiedenen Kuchen können auch süße oder herzhafte Aufläufe mit Hirse, Reis oder Polenta im Glas gebacken werden.

Auch Bratlinge lassen sich auf diese Weise zubereiten. Anstatt in die Pfanne kommt die Bratlingmasse in 230-ml-Gläser und mit je etwa einem Esslöffel Öl obendrauf in den Ofen. Bei 200 °C (Umluft 180 °C) sind sie nach etwa 20 Minuten fertig. Mit etwas geriebenem Käse oder veganen Alternativen kommt der „Backling im Glas" auch noch unter eine köstliche Haube. Verschiedene Getreidesorten oder Gewürze wie zum Beispiel Chili-Oregano oder eine Curry-Paste bieten Potenzial für viele Varianten. Perfekt für den kleinen Hunger zwischendurch und ein toller Genuss!

⊕ smarticular.net/kuchen-im-glas

Gebäck

Mehl selber mahlen

Mehl und Mehlspeisen stehen bereits seit 10.000 Jahren auf dem Speiseplan der Menschheit. Für ein Drittel der Weltbevölkerung sind sie bis heute ein wesentlicher Bestandteil der täglichen Ernährung. Es lohnt sich also, einmal einen genaueren Blick auf dieses alltägliche Lebensmittel zu werfen. Was macht ein gutes Mehl aus? Was ist besser – frisch gemahlen oder schon fertig aus der Mühle gekauft? Wie kannst du Mehl selbst herstellen und dabei viel Geld sparen?

▶ Was ist gutes Mehl?

Ein gutes Mehl wird aus Korn hergestellt, das aus biologischem Anbau stammt. Beim Korn handelt es sich um die Samen einer Pflanze, und weil die Natur bestrebt ist, die Reproduktionsfähigkeit zu bewahren, stecken unverarbeitete Körner voller wertvoller Inhaltsstoffe und sind lange haltbar.

Frisch gemahlenes Mehl sollte innerhalb von 24 Stunden verarbeitet werden, da es ansonsten viele der wertvollen Nährstoffe verliert. Optimal wäre es also, Mehl immer frisch, direkt vor dem Gebrauch, zu mahlen.

▶ Vollkorn- versus Auszugsmehl

Der wesentliche Unterschied zwischen Vollkorn- und Auszugsmehl besteht darin, dass beim Vollkornmehl das gesamte gereinigte Getreidekorn inklusive der Schale vermahlen wird. Beim Auszugsmehl hingegen wird nur das Innere des Korns gemahlen. In den dunkleren, äußeren Schichten des Korns und der Schale sind jedoch vergleichsweise mehr Vitamine und Mineralstoffe enthalten als in den inneren, helleren Schichten.

Produkte aus Vollkornmehl sind nicht nur reich an Vitaminen und Mineralstoffen, sondern auch schwerer verdaulich. Darum liefern sie dem Körper über einen längeren Zeitraum hinweg Energie.

Auszugsmehlprodukte sind dagegen leichter bekömmlich und bewirken einen schnelleren Anstieg des Blutzuckerspiegels (glykämischer Index). Dieser rasante Anstieg des Insulinspiegels begünstigt die Entstehung von Zivilisationskrankheiten wie Diabetes und Adipositas. Im Allgemeinen empfehlen Ernährungsberater, Vollkornprodukte als Bestandteil einer vollwertigen, gesunden Ernährung zu bevorzugen.

▶ Frisch gemahlenes Mehl kaufen

Wer keine Getreidemühle hat, kann sich Vollkornmehl in Hofläden oder im Reformhaus frisch mahlen lassen. Oftmals wird für diesen Service kein Aufpreis berechnet. So wird ein Brot aus frisch gemahlenem Mehl nicht nur zur gesunden Mahlzeit, sondern auch deutlich preisgünstiger, als wenn es beim Bäcker in der gleichen Qualität gekauft wird.

Wenn du noch flexibler und wirtschaftlicher frisches Mehl verarbeiten möchtest, kannst du es aber auch einfach selbst mahlen.

▶ Gesundes Mehl selbst herstellen

Mit selbst gemahlenem Mehl sparst du nicht nur Geld, du kannst auch noch sichergehen, dass es immer frisch ist, und bestimmst selber den Mahlgrad. Dazu brauchst du noch nicht einmal eine Mühle.

▶ Getreide kaufen

Eine der besten Quellen für ganzes Korn in größeren Mengen ist der Hofladen in der Nähe. Wenn du keinen Anbieter in deiner Region findest, gibt es Großpackungen Bio-Korn auch online.

Zur Qualitätsüberprüfung solltest du den Kornsack öffnen, tief hineingreifen und das Korn durch die Finger rieseln lassen. Die Körner müssen unbedingt trocken und fest sein und eine gleichförmige, glatte Oberfläche aufweisen. Insbesondere bei Roggen ist es wichtig, darauf zu achten, dass keine oder nur sehr wenige schwarze Körner enthalten sind. Dabei handelt es sich um den kornähnlichen Mutterkornpilz. Dieser ist hochgradig toxisch und sollte unbedingt vor dem Mahlen aussortiert werden.

▶ Das Mahlen

Eine spezielle Getreidemühle ist zwar ein hilfreiches Werkzeug, aber nicht unbedingt notwendig, um gutes Mehl herzustellen. Insbesondere dann, wenn du nur selten und in kleinen Mengen mahlst, lohnt sich die recht kostspielige Anschaffung nicht. Ein leistungsfähiger, vielseitiger Mixer tut es auch.

Beim Mahlen im Mixer solltest du lediglich darauf achten, dass sich das Mehl durch die hohen Umdrehungszahlen nicht zu stark erwärmt. Es ist besser, in mehreren Arbeitsgängen zu mahlen, einmal kurz vorzumahlen und dann später noch einmal, bevor das Mehl verwendet wird. Das gemahlene Produkt duftet frisch und lecker, und es macht großen Spaß, es zu verarbeiten.

▶ Die Lagerung

An einem trockenen, lichtgeschützten Ort bei circa 15–18 °C gelagert, hält sich ganzes Korn bis zu vier Jahre lang. Deshalb lohnt es sich, eine größere Menge zu besorgen und somit etwas Geld zu sparen. Es muss ja nicht gleich ein Jahresvorrat sein.

⊕ *smarticular.net/mehl-mahlen*

Sauerteig selbst herstellen

Viele Brote lassen sich recht einfach mit Hefe als Triebmittel herstellen. Geschmacklich raffinierter und auch gesünder wird das Brot allerdings, wenn beim Backen Sauerteig verwendet wird.

▶ Was ist Sauerteig?

Sauerteig ist ein natürliches Backtriebmittel, das Hefen sowie Milchsäurebakterien enthält, die ihn ständig in Gärung halten. Der säuerliche Geschmack entsteht durch Milchsäuregärung der enthaltenen Bakterienkulturen. Bisher sind außerdem 300 weitere Geschmacks- und Aromastoffe bekannt, die im Sauerteig vorhanden sein können und dem Backwerk ein kräftiges, würziges Aroma verleihen.

Sauerteigkulturen sind hierzulande seit Jahrhunderten bekannt, und viele Bäcker nutzen ihren Ansatz jahrzehntelang. Das Backergebnis wird mit zunehmendem Alter der Kultur immer besser. Wenn du selbst in die Profiriege der Brotbäcker aufsteigen willst, kannst du dir bei einem traditionellen Bäcker in deiner Nachbarschaft einen Sauerteig-Ansatz kaufen oder ihn aus wenigen Zutaten selbst herstellen.

▶ Was zeichnet guten Sauerteig aus?

Wenn du einen fertigen Sauerteig kaufst, solltest du darauf achten, dass es sich tatsächlich um Natursauerteig handelt und nicht um Sauerteigextrakt. Solches Trockenpulver gibt es auch im Supermarkt, allerdings muss bei der Verwendung von Sauerteigextrakt noch Hefe zugegeben werden, da der Fertigteig weniger Triebkraft als Natursauerteig hat. Natursauerteig enthält dagegen bereits natürliche Hefen.

Als Triebkraft wird die Fähigkeit des Anstellguts oder Sauerteigs bezeichnet, den Teig aufgehen zu lassen. Durch die stattfindende Milchsäuregärung entstehen Gasbläschen aus Kohlendioxid, die den Teig locker werden lassen und das Volumen des Teiglings vergrößern. Neben dem Aroma bietet die Zubereitung mit Natursauerteig gegenüber Hefeteig außerdem den Vorteil, dass ein Sauerteig fast nicht übergehen kann, er bleibt auch bei langen Gehzeiten stabil.

▶ Sauerteig herstellen

Im Grunde ist es gar nicht schwierig, seinen eigenen Natursauerteig anzusetzen und immer weiter zu nutzen. Der fertige Teig enthält lebende Kulturen von Hefen und Milchsäurebakterien. Du brauchst dafür:

350 g Bio-Mehl (je nach gewünschter Brotsorte Roggen, Weizen o. ä., auch Vollkorn, am besten frisch gemahlen)

350 ml lauwarmes Wasser

Bei der Verwendung von Vollkornmehl ist etwas mehr Wasser erforderlich. Während der gesamten Reifezeit solltest du darauf achten, dass der Teig eine dickflüssige Konsistenz wie bei Pfannkuchenteig hat.

Außerdem benötigst du ein paar Gerätschaften:

- Teiglöffel
- Rührschüssel
- sauberes, großes Küchentuch
- Einkochthermometer (optional)
- Teigschaber (optional)
- Küchenwaage (optional)

Der Sauerteig wird über einen Zeitraum von fünf Tagen unter Ausnutzung der spontanen Säuerung hergestellt. Wichtig ist, dass du stets auf die Sauberkeit der benutzten Werkzeuge achtest und den Sauerteig nicht mit metallenen Werkzeugen bearbeitest, da Metalle (insbesondere Edelmetall) antibakterielle Eigenschaften haben können. Das könnte die Milchsäurebakterien in der Entwicklung hemmen.

Von entscheidender Bedeutung ist neben der Sauberkeit die Temperatur. Während der Ruhephasen ist eine gleichbleibende Temperatur von circa 30 bis 35 °C optimal. 40 °C dürfen in keinem Fall überschritten werden, sonst beginnen die enthaltenen Proteine, sich zu zerlegen. Ein geeigneter Ruheort für den Teigansatz ist ein zugfreier Ort in der Nähe der Heizung.

Bei den einzelnen Arbeitsschritten kannst du die Temperatur des Teiges auch interessehalber mit dem präzisen Einkochthermometer überprüfen. Auf diese Weise entwickelst du ein Gespür für die Herstellung und kannst Rückschlüsse darüber ziehen, wie eine kurzzeitige Entnahme oder Veränderung der Umgebungsbedingungen die Temperatur verändert.

Natursauerteig lässt sich jedoch auch bei konstanten 20 °C produzieren, wobei die Gärung dann entsprechend länger dauert.

Während der Herstellung wird der Teig heftig gären und blubbern – ein Zeichen dafür, dass es den Kulturen im Teig gut geht und der Prozess vorankommt. Mögliche Spritzer lassen sich durch Abdecken mit einem Küchen- oder Gärtuch vermeiden. Das hält auch Fruchtfliegen fern.

Möglicherweise lässt Verdunstung eine dünne Haut oder Kruste auf der Oberfläche des Teigs entstehen. Das ist nicht weiter schlimm. Diese Haut kannst du bei Bedarf einfach noch mal mit einrühren. Mit dem Teigschaber stellst du sicher, dass nichts von dem wertvollen Teig am Innenrand der Schüssel anklebt und austrocknet.

▶ Schritt-für-Schritt-Anleitung: Herstellung des Sauerteigs

1. Tag:

100 g Mehl und 100 ml lauwarmes Wasser in einer großen Schüssel ordentlich durchrühren (durchschlagen) und 12 Stunden lang abgedeckt ruhen lassen. Nochmals umrühren und weitere 12 Stunden ruhen lassen.

2. Tag:

50 g Mehl und 50 ml lauwarmes Wasser zum Teig hinzufügen, verrühren und wieder abdecken. Für weitere 24 Stunden ruhen lassen. Im Laufe dieses Tages sollte je nach Temperatur langsam die Verhefung einsetzen. Der Teig riecht dann intensiv säuerlich nach Hefe. Der saure Geruch nimmt nach einigen Tagen wieder etwas ab.

3. Tag:

100 g Mehl und 100 ml lauwarmes Wasser hinzufügen. 12 Stunden Teigruhe, durchschlagen, weitere 12 Stunden Teigruhe. Der Geruch sollte jetzt hin zu Hefe und saurer Milch gehen und sich damit deutlich vom anfänglichen Geruch unterscheiden.

4. Tag:

100 g Mehl und 100 ml Wasser hinzugeben und durchschlagen. 24 Stunden Teigruhe.

5. Tag:

Geschafft! Der Teig lässt sich nun verbacken. Nun hast du fertiges Anstellgut, von dem du circa 100 g abnimmst und zum Beispiel in einem Vorratsglas für das nächste Backen aufbewahrst oder sofort verwendest.

Der fertige Sauerteig riecht angenehm säuerlich und besitzt eine gewisse Fruchtnote. Ist dies nicht der Fall, und riecht der Teig eher nach faulen Eiern, haben die Milchsäurebakterien den Verdrängungswettbewerb verloren, und Fäulniserreger haben sich durchgesetzt. Das Produkt muss dann leider entsorgt werden.

▶ Sauerteig verwenden

Beim Brotbacken mit Sauerteig entscheidet die Mehlmenge, wie viel Anstellgut du zum Ansäuern benötigst. Für die meisten Rezepte sind dies ungefähr fünf bis zehn Prozent der gesamten Mehlmenge.

▶ Sauerteig aufbewahren

Sauerteig lässt sich im Kühlschrank in einem Drahtbügelglas aufbewahren. So kann überschüssiger Druck entweichen. Auf keinen Fall sollte ein Schraubglas verwendet werden, da es platzen könnte. Das entstehende Kohlendioxid sorgt außerdem im Behälter dafür, dass auch nur die Kulturen, die im Sauerteig sein sollen, die Oberhand bewahren und er haltbar bleibt.

▶ Pflege des Sauerteigs

Wird für ein, zwei Wochen nicht gebacken, muss der Sauerteig mit einem Esslöffel Roggenmehl und der gleichen Menge Wasser „gefüttert" werden. Gut durchkneten nicht vergessen! Wenn der Teig „verhungert" oder schlecht wird, dann hast du immer noch das getrocknete Pulver, um neues Anstellgut daraus herzustellen. Hierzu einfach einen Teil des Pulvers mit der gleichen Menge Wasser anrühren und gleich füttern.

▶ Sauerteig haltbar machen

Wenn du eine erste 100-Gramm-Portion von deinem Sauerteig zum Brotbacken entnommen hast, bleiben noch ungefähr 200–250 Gramm Anstellgut übrig. Du könntest etwas davon an Freunde, Nachbarn oder Verwandte weitergeben, die den Teig dann wie nachfolgend beschrieben pflegen und so immer weiter verwenden können, oder du kannst ihn durch Trocknen haltbar machen. Hierzu streichst du den Sauerteig einfach dünn auf ein mit Backpapier ausgelegtes Backblech und lässt ihn unter der Backofenlampe austrocknen. Alternativ maximal 38 °C Umluft dazuschalten, dann geht es etwas schneller. Danach noch eine Runde im Mixer zu Pulver verarbeiten und in einem Braunglastiegel trocken und dunkel aufbewahren.

⊕ *smarticular.net/sauerteig*

Brot backen mit Sauerteig

Heutzutage werden viele Backwaren in industriellen Großanlagen produziert und vorgebacken, um dann tiefgefroren an diverse Backhäuser ausgeliefert zu werden. Dabei zählen Effizienz und große Stückzahlen. Was wir beim Bäcker bekommen, wird vor Ort fast immer nur noch fertig gebacken. Dieses „frische" Brot hält nach dem Anschneiden nicht lange und ist weit nährstoffärmer als ein auf traditionelle Weise von einem echten Bäcker in einer Backstube hergestelltes Brot.

Die bessere Alternative ist der Gang zum Bio-Bäcker. Denn die verwendeten Rohstoffe werden nicht nur aus biologischer sowie ökologisch nachhaltiger Produktion beschafft, sondern es werden oft traditionelle Herstellungsprozesse wie zum Beispiel lange Teigführung verwendet.

Doch auch beim Bio-Bäcker werden häufig Backmischungen verwendet, was dazu führt, dass viele vermeintlich verschiedene Brotsorten am Ende doch gleich schmecken. Deshalb empfiehlt es sich, hin und wieder sein Brot selbst zu backen!

▶ Bauernbrot mit Sauerteig backen

Eins gleich vorweg: Gutes Sauerteigbrot braucht viel Ruhezeit. Wer hingegen ein Rezept für ein möglichst einfaches und schnelles Brot sucht, sollte besser auf Hefe als Backtriebmittel zurückgreifen.

Einige Rezepte mit Hefe, die leicht gelingen, findest du auf Seite 76.

▶ Rezept: Uriges Roggenbrot

Dies ist ein uraltes Rezept mit langer Teigführung. Dabei entstehen die Aromen auf natürliche Weise, und die Nährstoffe werden geschont. Du benötigst:

900 g	Roggenvollkornmehl
100 g	Weizenvollkornmehl
50 g	Sauerteig-Anstellgut (siehe Seite 87)
15 g	Salz
600–700 ml	lauwarmes Wasser
1 TL	Brotgewürz (optional, siehe Seite 78)
	Flohsamen oder Sonnenblumenkerne zum Garnieren (optional)

Außerdem:

- Rührschüssel
- ofenfestes Schälchen
- sauberes, großes Küchentuch
- Rührgerät
- Gärkörbchen aus Holzschliff für Brote bis 1,5 kg (optional)

Gebäck

Ein passendes Gärtuch wird nicht unbedingt benötigt, da du das Gärkörbchen auch kräftig einmehlen kannst, damit sich der Teig später gut löst. Am besten ist es jedoch, wenn ein Gärkörbchen und ein eingemehltes Küchentuch oder Gärtuch verwendet werden.

▶ Sauerteigbrot backen

„Gut Ding will Weile haben." Lange, traditionelle Teigführung bedeutet, dass der Teig langsam und mit einiger Ruhezeit zwischen den einzelnen Verarbeitungsschritten hergestellt wird. Dieses stufenweise Vorgehen ist wichtig, da im Teig biochemische Prozesse ablaufen, die für das Gelingen des Brotes und sein Aroma entscheidend sind.

Erste Teigstufe: Ansäuern

Von den im Rezept genannten Zutaten verwendest du zunächst nur:

250 ml lauwarmes Wasser

50 g Sauerteig

220 g Roggenvollkornmehl

Erste Teigstufe herstellen:

1. Mehl, Wasser und Anstellgut in eine große Schüssel geben und mit einer Rührmaschine unter Nutzung des Rührbesens oder mit einem Handrührbesen ordentlich durchrühren.

2. Bei circa 25 bis 28 °C abgedeckt 15 Stunden lang ruhen lassen.

3. Danach 50 g des Teigs für das nächste Backen wegnehmen und mit 1 EL Roggenvollkornmehl und 1 EL Wasser gefüttert im Kühlschrank aufbewahren.

Zweite Teigstufe

Nun benötigst du die folgenden weiteren Zutaten:

18 g Salz

350 ml warmes Wasser

440 g Roggenvollkornmehl

Zweite Teigstufe herstellen:

1.   Salz im Wasser auflösen.

2.   Salzwasser und Mehl zur ersten Teigstufe geben und gut durchkneten.

3.   Drei Stunden lang ruhen lassen.

Dritte Teigstufe: Gehen lassen

Jetzt kommt das restliche Mehl dazu:

240 g   Roggenvollkornmehl

100 g   Weizenvollkornmehl

Vorgehen zur Herstellung der dritten Teigstufe:

1.   Mehl zum Teig geben und mit dem Handmixer auf höchster Stufe oder mit Muskelkraft fünf Minuten kräftig durchkneten.

2.   So viel Wasser zugeben, dass der Teig nicht zu fest wird.

3.   Teig in ein gut bemehltes Gärkörbchen geben, eventuell zuvor Flohsamen oder Sonnenblumenkerne in das Gärkörbchen streuen.

4.   Gehen lassen, bis sich das Volumen des Teigs ungefähr um ein Drittel vergrößert hat. Die Aufgehzeit beträgt eine bis zu sechs Stunden.

5.   Backofen auf 250 °C (Ober-/Unterhitze) vorheizen. Vorher noch ein zu zwei Dritteln mit Wasser gefülltes, feuerfestes Schälchen auf den Backofenboden stellen und zusätzlich mit einer Pumpflasche etwas Wasser in den Backofen sprühen.

6.   Backblech mit Backpapier auslegen und großzügig einmehlen.

7.   Das Brot darauf stürzen und zwischen 60 und 75 Minuten lang backen.

Möchtest du die Kruste nicht so dunkel haben, so reduziere nach der Hälfte der Backzeit die Temperatur auf 180 bis 220 °C.

> **Tipp:** Das fertige Brot sollte nicht sofort angeschnitten werden, sondern bis zum nächsten Tag reifen.

⊕ smarticular.net/sauerteig-brot

Gebäck

Knäckebrot

Herzhafte Cracker, gewürzte Kartoffelchips oder auch Brotchips sind allzeit beliebte Knabbereien: vor dem Fernseher, als Party-Knabberzeug oder zum Stillen des kleinen Hungers zwischendurch. Diese würzigen Snacks beinhalten allerdings ungesunde Zutaten wie Aromastoffe, Geschmacksverstärker sowie viel Fett und Salz, sodass das schlechte Gewissen oft die Knabberlust verleidet. Durch den immer wieder aufkommenden Suchtfaktor nach Knabberzeug sind sie ebenso wie die süßen Leckereien ein kaum wegzudenkendes Nahrungsmittel geworden.

Selbst gemacht und mit den richtigen Zutaten können auch herzhafte und vielseitige Knäckebrote als leckere und noch dazu gesunde Snacks dienen. Sie sind schnell und einfach auf Vorrat gebacken und in Dosen aufbewahrt wochenlang haltbar.

▶ Herstellung herzhafter Knäckebrote

Die drei folgenden knackigen Brotvarianten sind vom Geschmack und den Zutaten sehr unterschiedlich. Gemein haben sie eine einfache Zubereitung ohne lange Wartezeit.

Folgende Utensilien brauchst du:

- Schüssel
- Backblech
- Backpapier
- Pizzarädchen oder scharfes Messer

▶ Rezept 1: Kerniges Vitalknäckebrot

Mit seinen gehaltvollen Zutaten ist diese Knabberei eine sättigende und pikante Knäckebrotvariante. An Zutaten benötigst du:

120 g	Dinkelmehl
120 g	Haferflocken
150 g	Sonnenblumen-, Kürbis-, Pinienkern-Mix
50 g	Sesam
1 TL	Salz
400 ml	Wasser
2 EL	Olivenöl
100 g	geriebenen Käse (optional)

So gehst du vor:

1. Den Backofen auf 160 °C vorheizen und das Backblech mit Backpapier auslegen.

2. Trockene Zutaten mischen, Flüssigkeit hinzugeben und gut verrühren.

3. Teig zehn Minuten lang ziehen lassen und dann gleichmäßig dünn auf dem Backpapier verteilen.

4. Auf der mittleren Schiene für zehn Minuten backen.

5. Mit einem Pizzarädchen oder Messer in gewünschte Portionsgrößen teilen.

6. Weitere 50 Minuten backen.

7. Auskühlen lassen und in verschließbaren Gefäßen aufbewahren.

Optional kannst du gegen Ende der Backzeit 100 Gramm geriebenen Käse auf dem Teig verteilen.

▶ **Rezept 2: Pizza-Cracker**

Ein italienisch anmutendes Knäckebrot erhältst du mit folgenden Zutaten:

80 g Dinkelvollkornmehl

50 g Haferflocken

50 g Sonnenblumenkerne

40 g Sesam- und Leinsamen-Mix

40 g	Hirse
20 g	Parmesan, fein gehobelt
20 g	Tomatenmark
1 geh. TL	Oregano oder Rosmarin
1 gest. TL	scharfes Paprikapulver
½ TL	Salz
1 EL	Olivenöl
300 ml	Wasser

Gehe zur Zubereitung folgendermaßen vor:

1. Backofen auf 160 °C vorheizen, Backblech mit Backpapier auslegen.
2. Trockene Zutaten mischen, Flüssigkeit hinzugeben und gut verrühren.
3. Teig auf dem Backpapier gleichmäßig verteilen.
4. Auf der mittleren Schiene 10 Minuten backen.
5. Mit einem Pizzarad oder Messer Portionen zuschneiden.
6. Weitere 30 Minuten lang backen.
7. Temperatur auf 120 °C reduzieren und für weitere 30 Minuten backen.
8. Auskühlen lassen und in verschließbaren Gefäßen aufbewahren.

▶ Rezept 3: Rosmarin-Knoblauch-Buchweizen-Chips (glutenfrei)

Mit Buchweizenmehl kannst du glutenfreies Knäckebrot herstellen. Gewürzt mit Rosmarin, Knoblauch und Salz, ist es eine schnelle Alternative zu den pikanten, oft versalzenen Brotchips.

In den Teig kommen:

100 g	Buchweizenmehl (oder Buchweizen im Mixer geschrotet)
50 g	Sonnenblumenkerne, fein gehackt bzw. gemixt
2 TL	Backpulver
1 TL	Salz

160 ml kohlensäurehaltiges Mineralwasser

2–3 TL Rosmarin, getrocknet (optional)

1 TL Fenchelsamen, im Mixer zerkleinert (optional)

1 gepresste Knoblauchzehe (optional)

Sonnenblumenkerne für die Dekoration (optional)

So wird dieses Rezept zubereitet:

1. Den Backofen auf 170 °C vorheizen, Backblech mit Backpapier auslegen.

2. Trockene Zutaten mischen, Flüssigkeit hinzugeben und gut verrühren.

3. Die klebrige Masse grob auf dem Backpapier verteilen. Falls der Teig während des Auftragens noch anzieht, mit einem Holzpfannenwender glatt verstreichen.

4. Mit dem Pizzarädchen oder Messer Portionen vorschneiden

5. Etwa 15–20 Minuten lang backen.

6. Auskühlen lassen und in verschließbaren Gefäßen aufbewahren.

> **Tipp:** Die Knäckebrote lassen sich leichter vom Backpapier lösen, wenn sie ausgekühlt sind. Sollten dickere Scheiben noch nicht kross genug sein, können sie noch einmal für ein paar Minuten in den Ofen. Roggenmehl ist für diese Anleitungen nicht geeignet.

⊕ *smarticular.net/knaeckebrot*

Laugenbrezeln wie frisch vom Bäcker

Frische Laugenbrezeln schmecken pur, mit Butter, Käse, Wurst oder hausgemachten vegetarischen Aufstrichen. Das saftig-salzige Gebäck eignet sich als schneller Snack für unterwegs ebenso wie als begehrte Knabberei auf dem kalten Büfett.

Statt sie fertig (vielleicht sogar tiefgekühlt) zu kaufen, kannst du Laugenbrezeln auch selber machen! Das geht schnell, ist sehr einfach, und das Ergebnis kann es allemal mit dem gekauften Gebäck aufnehmen.

Gut möglich, dass du die Zutaten ohnehin in deinem Vorratsschrank findest. Für den Brezelteig benötigst du Folgendes:

500 g	helles Mehl – am besten sehr feines Weizenmehl
1 Pck.	Trockenhefe
1 TL	Salz
1 Prise	Zucker
350 ml	Milch

Gebäck

Um die Brezeln vor dem Backen mit Lauge zu überziehen, brauchst du außerdem noch:

2 EL Natron

1 ½ L Wasser

1 großen Topf

Und so gehst du bei der Zubereitung der Brezeln vor:

1. Mehl, Hefe, Milch, Salz und Zucker zu einem glatten Teig verarbeiten.

2. Teig zugedeckt an einem warmen Ort für circa 45 Minuten gehen lassen, bis sich das Teigvolumen ungefähr verdoppelt hat.

3. Den Teig noch einmal kurz durchkneten und in sechs bis acht gleich große Stücke zerteilen. Für Minibrezeln die Stückzahl entsprechend erhöhen.

4. Wasser und Natron in einen großen Topf geben, zum Kochen bringen und für circa 10 Minuten köcheln lassen.

5. In der Zwischenzeit jedes Teigstück zu einer langen, dünnen Wurst ausrollen und zu einer Brezel zusammenlegen. Die Enden leicht festdrücken.

6. Je nach Topfgröße immer zwei bis vier Brezelrohlinge auf einmal für 30 Sekunden ins sprudelnde Wasser geben. Sie sollten dabei immer wieder vollständig untertauchen.

7. Die Brezeln aus dem Wasser holen, abtropfen lassen, auf einem mit Backpapier ausgelegten Backblech verteilen und nach Wunsch mit grobem Salz bestreuen.

8. Im auf 180 °C vorgeheizten Ofen für 25–30 Minuten backen.

Wenn die Brezeln die typisch rötlich-braune Färbung annehmen, sind sie fertig. Egal ob große oder kleine Brezeln, die Backzeit bleibt in etwa gleich. Am besten schmecken sie frisch, aber auch am nächsten Tag lassen sie sich noch mit Genuss verzehren.

⊕ *smarticular.net/laugenbrezeln*

Ei-Alternativen in der Küche

Wir verwenden es als zentrale Zutat für Omas Apfelkuchen, freuen uns auf das Frühstücksei am Sonntag, machen Nudeln und Pudding daraus – und manchmal bemalen wir auch das ein oder andere zum Verschenken. Das Hühnerei ist fest in unserer Ernährung und unseren Traditionen verankert und aus vielen Küchen kaum wegzudenken.

Zum Teil beruht diese Prominenz sicherlich auf dem reichhaltigen Nährstoffcocktail, den Eier bieten. Neben leicht verdaulichem Eiweiß, das fast zu 100 Prozent von unserem Körper verarbeitet werden kann, liefern Eier eine große Bandbreite an Vitaminen und Mineralstoffen – nicht verwunderlich, denn aus dem Ei soll eigentlich am Ende ein Küken schlüpfen.

Tatsächlich werden Eier jedoch nicht nur aufgrund ihrer inneren Nährstoffwerte geschätzt, sondern maßgeblich wegen der küchentechnischen Eigenschaften. Eier besitzen die Fähigkeit, Speisen zu binden, da sie die zweifache

Menge an Flüssigkeit aufnehmen können. Eigelb kann durch seinen Lecithingehalt emulgieren und somit Fett und Wasser miteinander vermischen und außerdem färben. Auch das Eiweiß hat seine Stärken: Aufgeschlagen als Eischnee, lockert es Speisen auf, und im geronnenen Zustand nach dem Erhitzen kann es Massen hervorragend miteinander verkleben.

Das klingt doch alles super. Warum sollte man denn nun überhaupt auf Eier verzichten? Dafür gibt es viele individuelle Gründe. Ein wachsender Teil der Gesellschaft ernährt sich vegan. Andere möchten sich gezielt gegen die Legehennenzucht und -industrie stellen. Es gibt aber auch viele Menschen, die eine Unverträglichkeit gegenüber Hühnereiweiß aufweisen – oder es einfach nicht mögen.

Aus welchem Grund auch immer, es ist auf jeden Fall einen Versuch wert, hin und wieder eifrei zu backen und zu kochen. Alles ohne Ei – das klingt erstmal nach vielen Kompromissen, und auch das Wort „Ei-Ersatz" strotzt nicht gerade vor Attraktivität. Die Alternativen funktionieren jedoch überraschend gut!

▶ 1. Apfelmus

Apfelmus schmeckt nicht nur lecker zu Kartoffelpuffern, sondern hält auch hervorragend Teig zusammen. Ob nun Karottenkuchen oder Schokoladenmuffins, in jeglichem feuchten Rührteig lassen sich Eier durch Apfelmus ersetzen. Etwa 70 Gramm Mus pro Ei sind ausreichend. Der Apfelgeschmack ist dabei nach dem Backen höchstens noch dezent vorhanden. Außerdem sorgt das Mus dafür, dass der Kuchen nicht so schnell trocken wird. Ein weiterer Vorteil: Apfelmus lässt sich leicht aus heimischen Früchten herstellen und aufbewahren. So hast du das ganze Jahr über Zugriff auf eine regionale Ei-Alternative.

▶ 2. Banane

Nicht regional, dafür aber genauso wirksam als Ei-Alternative im Kuchen sind reife Bananen. Zerdrückt in den Teig gegeben, ersetzt eine Banane zwei mittelgroße Eier. Diese Variante ist geschmacklich nicht ganz so neutral, für Bananenliebhaber aber sogar eine Bereicherung. Aufgrund der intensiven Süße der Frucht ist es sinnvoll, die Zuckermenge im Kuchenrezept um etwa 50 Gramm pro Banane zu reduzieren.

▶ 3. Essig

Heller Essig ersetzt eine gewisse Anzahl an Eiern im Kuchen, beispielsweise Apfel- oder Weißweinessig. Die Faustregel dabei lautet: Ein bis zwei Esslöffel Essig ersetzen ein Ei. Das klingt vielleicht etwas unappetitlich, aber man schmeckt den Essig tatsächlich später nicht heraus. Diese Alternative lässt sich auch sehr gut mit der Bananen- oder Apfelmus-Variante kombinieren.

▶ 4. Seidentofu

Für den berühmten Käsekuchen, Mousse au Chocolat oder auch herzhafte cremige Speisen kannst du Seidentofu verwenden. Etwa 50–60 Gramm Seidentofu werden dazu cremig püriert und ersetzen ein Ei. Der leichte Eigengeschmack dieser Alternative ist jedoch nicht für jeden etwas.

▶ 5. Haferflocken

Haferflocken sind gesund, regional erhältlich und wahre Multitalente. Auch als Ei-Alternative machen sie in einer Vielzahl herzhafter und süßer Gerichte eine gute Figur. In allen Fällen, in denen normalerweise Eier als Binde- oder Klebemittel verwendet würden, kannst du stattdessen zu Haferflocken greifen. Ob nun in Buletten, Gemüsebratlingen, Kartoffelpuffern oder Pfannkuchen – einfach drei bis vier Esslöffel (zarte) Haferflocken pro Ei in die Masse geben, 20 Minuten ziehen lassen und ab damit in die Pfanne.

▶ 6. Stärke

Stärke in Form von Kartoffelmehl oder Maisstärke dient ebenfalls als Ei-Alternative und kann feuchte Massen binden und miteinander verkleben. Etwa ein Esslöffel Stärke ersetzt ein Ei.

▶ 7. Kichererbsen-Wasser

Wer Kichererbsen aus der Dose verwendet, muss das eiweißhaltige Wasser nicht wegschütten, sondern kann stattdessen veganen „Eischnee" daraus machen und für Kuchen, Gebäck oder Baiser verwenden. Der Eischnee aus Kichererbsen-Wasser hat einen nussigen Eigengeschmack und ersetzt das Pendant aus Eiern mühelos. Wie das funktioniert, ist auf Seite 105 beschrieben.

▶ Weniger ist manchmal mehr

Manchmal ist auch gar keine Alternative notwendig, zum Beispiel für Kartoffelpuffer. Für die geschmacklich intensivsten Kartoffelpuffer benötigst du lediglich geriebene Kartoffeln, Salz, Gewürze und Zeit, etwa 20 Minuten, sodass ausreichend Flüssigkeit aus der Kartoffelmasse austreten und die Stärke in den Kartoffeln ihre Klebewirkung entfalten kann. Überschüssige Flüssigkeit wird vor dem Braten einfach abgegossen.

⊕ *smarticular.net/ei-alternativen*

Gebäck

Eischnee-Alternative aus Kichererbsen(-wasser)

Eischnee findet in der Küche verschiedene Einsatzmöglichkeiten. Kuchen verleiht er Stabilität sowie eine lockere Konsistenz. Amarettini oder Baiserhauben sind ohne Eischnee kaum herzustellen.

Aus gesundheitlichen Gründen, aber auch aus Gründen des Tierschutzes, möchten viele Menschen auf Eier lieber verzichten. Eine gesunde und leicht herzustellende Alternative ist Eischnee aus dem Einweichwasser von Kichererbsen (Aquafaba).

▶ Herstellung von Eischnee-Ersatz aus Kichererbsenwasser

Zur Herstellung des veganen Eischnees werden benötigt:

125 ml Kichererbsenwasser

½ **TL** Weinsteinbackpulver

½ **TL** Johannisbrotkernmehl oder Guarkernmehl

½ **TL** Zitronensaft

Puderzucker nach Bedarf

Mixer

Hinweis: Wenn du das Einweich-Wasser von getrockneten Kichererbsen verwendest, solltest du es zunächst abkochen und vor dem nächsten Schritt wieder erkalten lassen. Es enthält größere Mengen giftiges Phasin, das durch den Kochvorgang zerstört wird. Das Wasser von Kichererbsen aus der Dose oder dem Schraubglas lässt sich ohne Zwischenschritt nutzen, da diese bereits gegart sind.

So gelingt die Zubereitung:

1. Kichererbsenwasser in ein Rührgefäß geben, Backpulver, Johannisbrot- oder Guarkernmehl sowie Zitronensaft hinzugeben.

2. Die Flüssigkeit etwa fünf Minuten lang mit dem Mixer auf höchster Stufe aufschlagen, bis ein fester Schaum entsteht.

3. Nach Belieben süßen und nochmals gut verrühren.

Der fertige Eischnee-Ersatz kann wie gewohnt weiterverarbeitet werden.

⊕ smarticular.net/kichererbsen-eischnee

Eischnee-Alternative aus Leinsamen

Eine weitere Alternative zu normalem Eischnee ist die folgende Version mit Leinsamen. Anders als die Variante aus Aquafaba ist Eischnee aus Leinsamen-Gel wirklich geschmacksneutral.

Das Rezept gliedert sich in zwei Teile. Diese beiden Schritte müssen um einen Tag oder zumindest einige Stunden zeitversetzt ausgeführt werden, da die Masse zwischendurch abkühlen muss.

▶ **Herstellung des Leinsamen-Gels**

Für den ersten Schritt benötigst du folgende Zutaten:

60 g Leinsamen

600 ml Wasser

So entsteht das Leinsamen-Gel:

1. Leinsamen mit 600 ml Wasser kurz aufkochen.

2. Auf niedriger Stufe circa 25 Minuten köcheln lassen. Zwischendurch immer wieder gut umrühren, damit die Leinsamen nicht am Boden des Kochtopfes festbacken.

3. Nach wenigen Minuten entsteht eine gelartige Masse, die zunehmend fester wird. Sie ist fertig, wenn sich beim Eintauchen eines Kochlöffels sofort eine zähflüssige Schicht um den Löffel legt und daran kleben bleibt.

4. Flüssigkeit durch ein Haarsieb abgießen. Dabei ist es wichtig, dass du die Flüssigkeit sofort nach Ausschalten der Hitze abgießt, da sie schon nach sehr kurzer Zeit so steif wird, dass du die Leinsamen nicht mehr vom Gel trennen kannst.

5. Leinsamen-Gel auffangen und kalt stellen.

Am besten gelingt der Eischnee, wenn du das Gel für einige Stunden einfrierst, bevor du es weiter verwendest. Dadurch verkürzt sich auch die zum Aufschlagen benötigte Zeit. Diese Methode hat außerdem den Vorteil, dass du das gebildete Kondenswasser vor der Verarbeitung des Leinsamen-Gels abgießen kannst, wodurch der Eischnee fester wird.

In jedem Fall muss das Gel aber gut gekühlt sein. Kleinere Eiskristalle in der Masse sind sogar vorteilhaft.

▶ Aufschlagen zu Eischnee

Für den zweiten Schritt benötigst du das Leinsamen-Gel, Puderzucker und einen Handmixer oder eine Küchenmaschine. Führe folgende Schritte aus:

1. Leinsamen-Gel abwiegen.

2. Dieselbe Masse Puderzucker abwiegen und zur Seite stellen.

3. Gel für einige Minuten mit einem Handmixer oder einer Küchenmaschine auf höchster Stufe aufschlagen. Wenn das Gel tiefgefroren wurde, sind fünf Minuten ausreichend, ansonsten kann es einige Minuten länger dauern. Wird ein Handmixer verwendet, ist es normal, wenn die Masse an den Rührstäben hochwandert. Einfach zwischendurch kurz ausschalten und abklopfen.

4. Sobald der Eischnee steif ist, esslöffelweise Puderzucker hinzugeben und so lange weiterrühren, bis sich der Zucker in der Masse gelöst hat.

Sollte dein Eischnee nicht steif genug werden, kannst du als Verdickungsmittel etwas Xanthan oder Johannisbrotkernmehl hinzufügen, das ist aber normalerweise nicht erforderlich. Fertig ist dein veganer Eischnee! Du kannst ihn nun wie herkömmlichen Eischnee verwenden, zum Beispiel zur Auflockerung einer Mousse au Chocolat oder für Baiser.

⊕ *smarticular.net/leinsamen-eischnee*

Aufs Brot

1.000 originelle Brotaufstriche aus nur zwei Zutaten

Wer sich fleischarm oder vegan ernähren möchte, findet in herzhaften wie auch süßen Brotaufstrichen eine schmackhafte Alternative zu Wurst, Käse und Ähnlichem. Mit dem Kundenkreis wächst auch das Angebot an Fertigprodukten stetig. Doch je nach Hersteller und Zutaten kosten 100 Gramm der veganen Aufstriche zwischen einem und drei Euro – ein stolzer Preis für ein Fertigprodukt, das während des Herstellungsprozesses schon viele seiner gesunden Nähr- und Vitalstoffe verloren hat.

Wenn du es natürlicher magst, Geld sparen und das gesunde Potenzial frischer Zutaten voll ausschöpfen möchtest, kannst du deine Brotaufstriche in wenigen Arbeitsschritten selbst herstellen. Wenn du jetzt glaubst, das sei viel Arbeit und würde lange dauern, dann denkst du womöglich nur zu kompliziert. Für zahllose gesunde und immer wieder neue, interessante Aufstrich-Ideen brauchst du nämlich nur zwei frische Zutaten – eine Basis- und eine Geschmackszutat. Sie zu einem frischen Aufstrich zu verrühren, dauert weniger als eine Minute!

▶ Basiszutaten für vegetarische oder vegane Brotaufstriche

Um einen Brotaufstrich herzustellen, brauchst du eine streichfähige Basis, die du dann nach deinen Vorlieben mit Gewürzen, Früchten und zahllosen anderen Geschmackszutaten verfeinern kannst.

Für einen vegetarischen Aufstrich eignen sich einerseits Milchprodukte als Basis, die sich vielfältig kombinieren lassen:

- Frischkäse
- Quark
- Fetakäse
- Ghee
- Butter
- Joghurt

Alternativ kannst du zur Zubereitung veganer Brotaufstriche aus einer schier endlosen Anzahl von Grundzutaten wählen:

- **Nussmus**: Kokosmus, Sesammus, Mandelmus, Erdnussmus, Haselnussmus, Cashewmus, Macadamiamus

- **Nüsse und Kerne**: Cashews, Haselnüsse, Sonnenblumenkerne, Macadamias, Mandeln, Walnüsse, Sesam, Kürbiskerne, Pinienkerne

- **Gekochtes Gemüse**: Kartoffeln, Karotten, Süßkartoffeln, Pastinaken, Kürbis, Auberginen, Artischocken, Paprika, Maronen, Kohlrabi, Rote Bete, Blumenkohl

- **Hülsenfrüchte**: Linsen, Kichererbsen, Bohnen, Zuckererbsen, Saubohnen

- **Getreide**: Hirse, Bulgur, Couscous, Getreideflocken

- **Sonstige**: Avocado, Tofu, Kokosfett, Margarine

Natürlich verleiht die von dir gewählte Grundzutat dem Aufstrich schon einen spezifischen Geschmack. Mit einer oder auch mehreren Geschmackszutaten kannst du das Aroma weiter verfeinern oder eine ganz neue Geschmacksrichtung kreieren.

▶ Lecker und bunt: Geschmackszutaten

Nicht nur bei der Basis, auch bei den Geschmackszutaten ist die Auswahl groß. Die folgende Liste beinhaltet sowohl süße als auch herzhafte Zutaten. Darüber hinaus gibt es sicher noch viele weitere Möglichkeiten, Brotaufstriche zu verfeinern.

Geeignet sind unter anderem:

- **Früchte**: Erdbeere, Heidelbeere, Himbeere, Johannisbeere, Mango – sie alle verleihen dem Aufstrich neben fruchtigem Geschmack auch eine tolle Farbe!

- **Rohes Gemüse**: Tomate, Gurke

- **Süße Gewürze und Aromen**: Kakao, Kokosflocken, Honig, Agavendicksaft, Dattelmus oder andere Zuckeralternativen

- **Herzhafte Gewürze und Aromen**: Salz, Pfeffer, Paprika, Kurkuma, Kreuzkümmel, Curry, Chili

- **(Wild-)Kräuter**: Basilikum, Rosmarin, Oregano, Petersilie, Schnittlauch, Kerbel, Majoran, Giersch, Brennnessel, Knoblauchsrauke, Gundermann, Bärlauch

- **Sonstige**: Knoblauch, Röstzwiebeln, getrocknete Tomaten, Oliven, Tomatenmark, Senf, Kapern

Wenn alle Zutaten bei der Verarbeitung Zimmertemperatur haben, gelingen die Aufstriche am besten. Je nach Konsistenz reicht es meist schon aus, alle Bestandteile mit einer Gabel zu zerdrücken. Bei festeren Zutaten wie beispielsweise Nüssen, Getreide und Oliven oder für einen besonders cremigen Aufstrich lohnt es sich, einen Mixer oder Pürierstab einzusetzen. Etwas Wasser, Öl oder pflanzliche Milch helfen, wenn die Grundmasse zu trocken oder zu fest ist.

▶ 5 einfache Rezepte für selbst gemachte Brotaufstriche

Du kannst anhand der hier aufgeführten Listen direkt loslegen und nach Herzenslust kombinieren oder es zuerst einmal mit diesen Rezeptvorschlägen probieren.

Avocado-Tomate

Du benötigst folgende Zutaten:

    1 Avocado

    1 Tomate

Zubereitung: Fruchtfleisch der Avocado herauslösen, Tomate würfeln. Etwas Zitrone, Salz und Pfeffer hinzugeben und alles miteinander verrühren.

Frischkäse-Mango

Hierfür brauchst du Folgendes:

    200 g Frischkäse

    50 g fein geschnittene, reife Mango, eventuell teilweise püriert

Zubereitung: Zutaten miteinander verrühren, optional etwas Honig hinzufügen, falls die Mango nicht süß genug ist.

Karotte-Giersch

Für diesen Aufstrich sind nötig:

> **200 g** geputzte, klein geschnittene Karotten
>
> **1 Handvoll** frischer Giersch

Zubereitung: Karotten weich kochen, Giersch fein hacken, mit Salz, Pfeffer und etwas Zitrone würzen und verrühren.

Linsen-Paprika (oder Chili)

Erforderliche Zutaten:

> **200 g** rote oder gelbe Linsen
>
> **50 g** Paprika oder Chili (nicht zu viel wegen der Schärfe)

Zubereitung: Linsen nach Packungsangabe weich kochen (ggf. vorher einweichen), Paprika bzw. Chili fein würfeln, Salz, Pfeffer, etwas Olivenöl sowie einen Spritzer Zitrone hinzugeben und alles gut verrühren.

60-Sekunden-Schokoaufstrich

Du brauchst dafür:

100 g Cashew-Kerne

25 g Honig, Datteln oder Agavendicksaft

25 g Sonnenblumenöl

1 TL Kakao

Zubereitung: Alle Zutaten mit dem Mixstab zu einem glatten Aufstrich verarbeiten – fertig!

Im Kühlschrank sind diese selbst gemachten Brotaufstriche je nach Zutaten in der Regel mindestens zwei bis drei Tage lang haltbar. Damit Aroma und Streichfähigkeit noch besser erhalten bleiben, kannst du die Aufstriche statt im Kühlschrank auch für ein bis zwei Tage in einem kühlen Vorratsraum aufbewahren.

⊕ *smarticular.net/zwei-zutaten-aufstriche*

Schokocreme mit Avocado

Wer sagt eigentlich, dass Naschen und gesunde Ernährung sich gegenseitig ausschließen würden? Sogar auf geliebte Klassiker wie Schokoladen-Aufstrich muss niemand verzichten. Denn viele von ihnen kannst du mit vitalstoffreichen Zutaten selbst zubereiten. Sie schmecken mindestens genauso gut wie das Original.

Die beliebte Schokocreme Nutella besteht zum größten Teil aus Zucker und Palmöl. Mit dem folgenden Fünf-Minuten-Rezept kannst du sie durch eine gesunde Alternative ersetzen und noch viele weitere köstliche Süßspeisen kreieren.

▶ Zutaten für Schokocreme

Die gesunde Basis für die Schokocreme bilden zwei Zutaten:

Avocado ist eine gute Quelle für ungesättigte Fettsäuren. Darüber hinaus enthält sie eine Vielzahl weiterer Vitalstoffe wie etwa Provitamin A, Vitamin C, D, K, E sowie viele B-Vitamine. Hinzu kommen zahlreiche Mineralstoffe und Spurenelemente wie Kalium, Magnesium, Phosphor, Kalzium und Eisen.

(Über-)reife Bananen mit ein paar braunen Flecken landen noch viel zu häufig im Abfalleimer oder auf dem Kompost. Dabei bringen sie eine intensive, natürliche Süße mit, die braune Bananen zur perfekten Basis für viele gesunde Süßspeisen macht.

Für die Schokocreme benötigst du folgende Zutaten und Utensilien:

1	reife Avocado
1	reife Banane (je reifer, desto besser bzw. süßer)
2 TL	Kakaopulver
	Zucker oder eine andere Süße deiner Wahl (optional)
	Schüssel und Mixstab

▶ Schoko-Aufstrich zubereiten

Und so einfach geht die Zubereitung:

1. Banane und Avocado schälen.
2. Zusammen mit dem Kakao in eine Schüssel geben und fein pürieren.
3. Nach Bedarf mit einer Süße deiner Wahl abschmecken.

Fertig ist der köstliche, gesunde Brotaufstrich! Überraschenderweise schmeckt er überhaupt nicht nach Avocado und nur leicht nach Banane, dafür aber kräf-

tig schokoladig. Er ist ein Hit bei Groß und Klein, sogar Kleinkinder mögen die fruchtig-schokoladige Creme.

Für mehr Abwechslung sorgst du, wenn du noch ein paar gehackte Nüsse oder einige Löffel Nussmus sowie geriebene Vanilleschote hinzufügst.

Die Creme ist auch als Dessert verwendbar, ähnlich einer Mousse au Chocolat. In diesem Fall ist empfehlenswert, sie vor dem Servieren mindestens eine Stunde kalt zu stellen.

Guten Appetit! Im Kühlschrank hält sich die Creme zwei bis drei Tage lang. Aber so lange überlebt sie bei uns sowieso nie …

⊕ smarticular.net/avocado-schokocreme

Fruchtaufstriche mit Carubenmehl

Zuckerfreie Fruchtaufstriche lassen sich anstatt mit Gelierzucker auch mit Johannisbrotkernmehl als einem natürlichen Geliermittel zubereiten. Dieses sparsame Pulver, auch Carubenmehl genannt, hat viele Vorteile: Es ist geschmacksneutral, glutenfrei und vegan. Darüber hinaus enthält es fünf Prozent hochwertiges Pflanzeneiweiß und wirkt als Ballaststoff verdauungsfördernd. Johannisbrotkernmehl ist kalorienarm und enthält reichlich Mineralstoffe wie Calcium, Kalium, Magnesium und Eisen. Das starke Bindemittel ist für die Herstellung von Bio-Produkten zugelassen (E 410) und auch für Säuglings- und Kleinkindnahrung geeignet.

▶ **Rezept für einen zuckerfreien oder -armen Aufstrich**

Für diesen Fruchtaufstrich kannst du jedes Obst verwenden. Du brauchst: ·

250 g	frische, gewaschene und geputzte oder tiefgekühlte Früchte, für Gelee 250 ml Fruchtsaft
2–3 gest. TL	Johannisbrotkernmehl
1 TL	Zitronensaft (optional)
1–2 EL	Zucker, bei sehr sauren Früchten ggf. mehr (alternativ Honig oder Agavendicksaft) (optional)
	Mixer
	Einmachgläser mit Twist-off-Deckel

Ob du nun mit Früchten oder Fruchtsaft arbeitest, die ersten vier Schritte sind für beide Varianten identisch. So gelingt es dir:

1. Früchte waschen und Schadstellen entfernen. Tiefkühlware auftauen.

2. Die Früchte zusammen mit dem Süßungsmittel im Mixer pürieren.

3. Johannisbrotkernmehl hinzugeben, Zutaten gründlich vermischen.

4. Für eine längere Haltbarkeit etwas Zitronensaft zugeben und alles noch einmal verrühren.

5. Gemixte Früchte in einen Topf geben und erhitzen.

6. Zwei bis drei Minuten lang köcheln lassen und dabei gut umrühren.

7. Die heiße Masse sofort in saubere Gläser abfüllen und verschließen.

Nun ist dein fruchtiger Brotaufstrich etwa für zwei Monate ungekühlt haltbar. Mit dem Anteil des verwendeten Zuckers steigt die Haltbarkeit. Gibst du Zitronensaft hinzu, macht dies deinen Aufstrich ebenfalls länger haltbar.

▶ Rohkost-Variante ohne Kochen

Wenn du möglichst viele Vitamine im fertigen Fruchtaufstrich erhalten möchtest, kannst du ihn auch in einer Rohkost-Variante ganz ohne Kochen herstellen. Anstatt die Masse wie zuvor beschrieben zu kochen, verfährst du nach dem Einrühren von Johannisbrotkernmehl und Zitronensaft wie folgt:

1. Fruchtmasse und Johannisbrotkernmehl mindestens drei Minuten lang kräftig durchmixen. Sie dickt in den nächsten zehn Minuten noch mal an. Sollte sie noch etwas zu dünn sein, kannst du erneut mit ein bis zwei gestrichenen Teelöffeln Johannisbrotkernmehl nachhelfen und den Mixvorgang wiederholen.

2. Die fertige Masse in saubere Gläser füllen und verschließen.

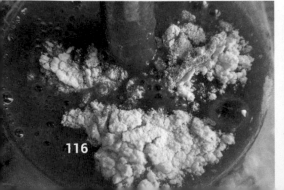

Im Kühlschrank ist dieser vitaminreiche Aufstrich (abhängig vom Zucker- und Säureanteil und der sauberen Verarbeitung) geschlossen bis zu vier Wochen lang haltbar. Nach dem Öffnen sollte er innerhalb von ein bis zwei Wochen verzehrt werden.

⊕ *smarticular.net/caruben-aufstrich*

Fruchtiger Brotaufstrich ohne Kochen

Wenn es dir zu aufwendig ist, Marmelade zu kochen, oder Marmelade und Konfitüre für dich viel zu viel Zucker enthalten, dann kannst du aus nur drei Zutaten in Minutenschnelle und ohne Kochen einen fruchtigen Aufstrich zubereiten.

Der Fruchtaufstrich wird einfach im Mixer püriert und direkt abgefüllt. Er ist dann zwar nur ein paar Tage lang im Kühlschrank haltbar, für Nachschub ist aber schnell gesorgt.

Du brauchst:

200 g	Früchte deiner Wahl, frisch oder tiefgekühlt
2–3 EL	Zucker oder eine alternative Süße
2 EL	Chia-Samen oder Leinsamen
1–2 EL	Zitronensaft (optional)
	Smoothie-Mixer oder Pürierstab

Wenn du zusätzlich Zitronensaft verwendest, wird der Aufstrich etwas länger haltbar und erhält eine milde Säure. Das genaue Mischungsverhältnis der Zutaten hängt aber auch davon ab, wie sauer die Früchte sind und wie hoch ihr Wasseranteil ist. Wird der Aufstrich zu flüssig, verwende einfach etwas mehr Chia- oder Leinsamen.

So geht's:

1. Früchte waschen, putzen und zerkleinern. Tiefkühlobst vor dem Mixen auftauen.

2. Früchte, Zucker, Chia- oder Leinsamen und Zitronensaft im Mixer zwei bis drei Minuten auf höchster Stufe pürieren.

3. In ein sauberes Gefäß füllen.

> **Tipp:** Lass den Aufstrich vor dem Verzehr noch für ein paar Stunden im Kühlschrank stehen. Dann quellen die pürierten Samen auf und sorgen für eine geleeartige Konsistenz.

Je sauberer du arbeitest und je mehr Zucker du verwendest, desto länger hält sich der Aufstrich.

⊕ *smarticular.net/fruchtaufstrich-ohne-kochen*

Regionale Nusscreme

Leider gehört handelsüblicher Schoko-Aufstrich auch zu den am wenigsten nachhaltigen Lebensmitteln. Im Laden findet man kaum Produkte ohne Palmöl, für dessen Gewinnung jedes Jahr große Regenwaldflächen in Plantagen umgewandelt werden. Auch der Kakao gehört zu den umstrittenen Zutaten.

Mit den meisten Rezepten, die man für selbst gemachte Alternativen findet, wird das Problem leider nicht kleiner. Oft sind Kakao und Palmöl Hauptzutaten, um eine halbwegs vernünftige Konsistenz und einen ansprechenden Geschmack zu erreichen. Gibt es denn keine regionale Alternative?

▶ Rezept für einen „regionalen Schoko-Aufstrich"

Nach langer Suche und vielen Experimenten haben wir eine besondere Alternative gefunden – ohne Palmöl und rein aus regional verfügbaren Zutaten. Das Beste daran ist: Der Aufstrich schmeckt einfach fantastisch! Kakao wird in diesem Rezept nicht benötigt, für den echten „Schoko-Aufstrich-Geschmack" sind die Nüsse entscheidend und nicht etwa Kakao. Optional kannst du dennoch etwas Kakao hinzufügen, um den Geschmack deinen Wünschen anzupassen.

Anders als die meisten Produkte und Rezepte kommt dieser Aufstrich außerdem ganz ohne Zucker aus. Die Herstellung dauert nur ein paar Minuten – für uns eine gelungene Kombination aus „gesund", „einfach" und „unglaublich lecker".

Benötigt werden die folgenden Zutaten, die du womöglich alle schon zu Hause hast:

200 g Haselnüsse

250 g weiche Butter

3 EL Honig oder alternativ Agavendicksaft

1 Prise Salz

Mit einigen weiteren Zutaten kannst du den Geschmack deinen Bedürfnissen entsprechend weiterverfeinern:

1–2 EL Kakaopulver

1–2 EL Carobpulver

Mark einer Vanilleschote oder 1 Päckchen Vanillezucker

Zitronensaft

So bereitest du den Aufstrich zu:

1. Haselnüsse in einer Pfanne ohne Fett anrösten. Je länger, desto kräftiger wird der Nussgeschmack.

2. Haselnüsse fein häckseln. Für ein besonders intensives Aroma die Nüsse erst nach dem Häckseln unter ständigem Rühren rösten.

3. Nüsse abkühlen lassen.

4. Weiche Butter in einen Mixbecher geben und mit dem Rührbesen cremig schlagen.

5. Nusspulver, Honig und ggf. weitere Zutaten hinzufügen und ausgiebig mixen. Je nachdem, wie fein die Nüsse gehackt wurden, wird die Creme mehr oder weniger stückig.

6. Wenn du eine besonders cremige Konsistenz bevorzugst, kannst du den Aufstrich zum Schluss noch mit einem Pürierstab fein pürieren.

7. In saubere Gläser füllen und beschriften.

Fertig ist der selbst gemachte Aufstrich! Während des ersten Tages entwickelt sich das Aroma noch, wenn sich alle Zutaten miteinander verbinden. Der wohl größte Nachteil dieses Aufstrichs: Im Kühlschrank hält er sich nur circa fünf Tage lang.

Wenn ihr nur wenige Personen seid oder du einfach nicht so viel Aufstrich isst, solltest du besser nur kleinere Mengen herstellen oder die Produktion auf mehrere kleine Behälter verteilen und einen Teil davon einfrieren. Das geht auch im Glas.

🌐 smarticular.net/nusscreme

Aufs Brot

Vegane Alternative zu Frischkäse

Wer Frischkäse mag, auf Milchprodukte in seiner Ernährung jedoch verzichten möchte, dem wird dieses Rezept sicher gefallen.

Für die Herstellung einer veganen Frischkäse-Alternative benötigst du:

500 ml ungesüßte Sojamilch

Saft einer halben Zitrone (ersatzweise ein Schuss Apfelessig)

1 Prise Salz

Gewürze nach Gusto (Knoblauch, Bärlauch, Schnittlauch, Chili, Pfeffer, Curry, Paprika, Oregano, Thymian usw.)

essbare Blüten für noch mehr Aroma und eine schöne Optik, etwa Löwenzahn, Gänseblümchen, Duftveilchen, Kornblumen, Schlüsselblumen (optional)

So gelingt's:

1. Sojamilch kurz aufkochen und Zitronensaft zugeben.

2. Dabei so lange rühren, bis die Milch stockt.

3. Erneut kurz aufkochen, umrühren und abkühlen lassen.

4. Nach 15 Minuten die gestockte Masse mit einem Geschirrtuch oder einer Mullwindel absieben, indem das Tuch in ein großes Sieb gelegt wird.

5. Zur fertigen Käse-Masse Gewürze nach Geschmack hinzufügen oder Blütenblätter verwenden.

▶ Tipps und Variationen

- Die abgesiebte Molke dient noch als Schönheitstrunk für deine Haut. Sie kann mit Fruchtsäften etwas aufgepeppt werden.

- Noch streichfähiger wird dein Aufstrich, wenn du etwas Öl hinzugibst, z. B. geschmacksneutrales Maisöl.

▶ Variante für einen nussigen Geschmack

Eine etwas aufwendigere Variante, die dafür einen nussigeren Geschmack besitzt, bietet dir das folgende Rezept.

Für acht Portionen werden gebraucht:

200 g	Cashewkerne
100 ml	Wasser
1 TL	Limettensaft
	Salz und Pfeffer
	Knoblauch, weitere Gewürze und Kräuter nach Geschmack

So gehst du vor:

1. Cashewkerne für 12 Stunden in Wasser einweichen.

2. In einen starken Mixer geben und zu einer streichfähigen Masse verarbeiten.

3. Mit Salz, Pfeffer und Knoblauch abschmecken.

4. Eventuell mit Limettensaft verfeinern, er verleiht einen für Frischkäse typischen, leicht säuerlichen Geschmack.

▶ Variationen mit Heilkräutern und Gewürzen

Kräuter, Gewürze und frische Blüten schenken dem Aufstrich nicht nur eine unwiderstehliche Optik, sondern wirken unter anderem wegen der enthaltenen Antioxidantien auch positiv auf Immunsystem, Leber, Nieren, Darm und Haut.

🌐 *smarticular.net/frischkaese-vegan*

Butter und Kräuterbutter herstellen

Butter gehört für viele Menschen einfach auf jede Brotscheibe. Auch beim Braten und Backen verleiht sie ein köstliches Aroma. Aber statt sie im Supermarkt zu kaufen, kannst du sie auch sehr leicht selbst herstellen.

Aufs Brot

Bei der Do-it-yourself-Butter weißt du nicht nur ganz genau, welche Rohstoffe zur Herstellung verwendet wurden und woher sie kommen. Die Zubereitung macht außerdem noch richtig Spaß!

Du brauchst:

- Schlagsahne mit einem Fettanteil von mindestens 30 Prozent, am besten vom Biobauern
- Kräuter und Salz nach Geschmack

So gehst du vor:

1. Schlagsahne in eine Schüssel geben und kräftig rühren, bis sich Flocken bilden und eine feste, butterähnliche Masse entsteht. Noch einfacher geht es mit einem Schraubglas oder Schüttelbecher. Sahne in den Becher füllen, oben sollten ungefähr zwei bis drei Zentimeter Rand bleiben. Gut verschließen und kräftig schütteln.

2. Die festen Bestandteile von der abgesetzten Buttermilch trennen.

3. Zum Entfernen der restlichen Buttermilch die Butterklumpen unter laufendem Wasser durchkneten. Dies sollte zwei- bis viermal wiederholt werden.

Je nach Geschmack kann die Butter nun mit verschiedenen Kräutern und Salz aromatisiert werden. Gängige Kräuter sind zum Beispiel Schnittlauch, Petersilie und Dill. Ebenfalls hervorragend geeignet ist Kapuzinerkresse, die einen hohen Vitamin-C-Gehalt aufweist und antibiotisch wirkt.

Im Kühlschrank hält sich die frische Kräuterbutter ungefähr für eine Woche. Sie lässt sich auch sehr gut auf Vorrat herstellen und portionsweise einfrieren, wenn einzelne Butterstücke in Butterbrotpapier eingewickelt und ins Gefrierfach gelegt werden.

> **Tipp:** Wer bei der Herstellung noch etwas näher am Ursprung ansetzen möchte, kann anstelle von Sahne auch frische Milch verwenden, am besten direkt vom Bauernhof. Die Milch in ein hohes Gefäß gießen und bei Zimmertemperatur ungefähr 12 Stunden stehen lassen. Dabei setzt sich eine Schicht Sahne ab, die abgeschöpft und wie beschriebenen weiterverarbeitet werden kann.

⊕ smarticular.net/kraeuter-butter

Aufs Brot

Nicht wegwerfen

Gemüsereste in Tütensuppen verwandeln

Immer diese anfallenden Gemüsereste! Oft brauchst du keine ganze Sellerie-
knolle oder Zwiebel. Manchmal ist auch noch eine kleine Karotte übrig und vielleicht etwas Lauch. Diese rohen Überbleibsel welken meist im Kühlschrank vor
sich hin und werden vergessen.

Warum dann nicht aus diesen Resten eine leckere und haltbare Alternative zu Tü-
tensuppen herstellen? Die selbst gemachte Instantsuppe ist später genauso praktisch und schnell zubereitet wie gekaufte Fertigsuppen – allerdings mit dem erheb-
lichen Unterschied, dass du genau weißt, was drin ist und was mit Sicherheit nicht:

- Geschmacksverstärker
- künstliche Aromen
- Konservierungsstoffe

Trocken in einem Schraubglas verpackt, kannst du deinen Suppenvorrat ohne Energieverbrauch aufbewahren. Wenn es dann einmal schnell gehen muss, ist sie da, die gesunde Fast-Food-fünf-Minuten-Instantsuppe.

Was du brauchst:

1–3 Gläser mit Twist-off-Deckel oder Bügelverschluss

Teller oder Backblech

kleine Buchstabennudeln oder Glasnudeln

rohe Gemüsereste, etwa Zwiebel, Karotte, Lauch, Knoblauch, Küchenkräuter, Kohlrabi, Weißkraut, Brokkoli, Ingwer, Pilze etc. Auch Schalen, Blätter und Strünke sind geeignet.

Es ist egal, wann und wie viele Reste zur Verfügung stehen. Verarbeite sie einfach immer dann, wenn sie anfallen. So gehst du vor:

1. Gläser vorbereiten und beschriften, zum Beispiel mit „Gemüsesuppe", „Zwiebel-Lauch-Suppe" oder „Chinesische Glasnudelsuppe mit Ingwer".

2. Gemüsereste putzen und in feine Stifte oder Würfel schneiden. Je kleiner die Stückchen sind, desto schneller trocknen sie. Zwiebeln, Kohlrabi und Knoblauch am besten sehr klein würfeln.

3. Das geschnittene Gemüse auf einem großen Teller oder Backblech verteilen.

4. Zum Trocknen einen Dörrautomaten nutzen oder das Gemüse bei 40–60 °C in den leicht geöffneten Backofen schieben. Das Lufttrocknen empfiehlt sich hierzulande nur an warmen Sommertagen.

5. Gemüse während des Trocknens ab und zu wenden.

6. Die getrockneten Zutaten in die vorbereiteten Gläser verteilen.

Mit jedem Rest wächst deine Fertigsuppe!

Die Zubereitung der Instantsuppe ist denkbar einfach: Wasser aufkochen, Inhalt hineingeben, fünf Minuten bei mittlerer Temperatur köcheln, mit Pfeffer und Salz würzen und servieren.

Mit diesen Tipps gelingt deine Fast-Food-Suppe noch besser:

- In jeder Gemüsesuppe sollten etwas getrocknetes Maggikraut und Sellerie enthalten sein. Sie verleihen der Suppe den typischen Geschmack.

- Kartoffeln bilden beim Trocknen eine solaninhaltige Schale. Sie sind deshalb nicht geeignet.

- Getrocknete Erbsen, Buchstaben- und Glasnudeln kannst du der Suppenkreation im Glas einfach so zugeben.

- Gib Salz, Pfeffer und andere Gewürze erst beim Kochen dazu, weil sie sich im Glas schlecht mit den anderen Zutaten vermischen.

⊕ *smarticular.net/tuetensuppe*

Braune Bananen nicht wegwerfen

Bananen gehören weltweit zu den beliebtesten Obstsorten. Sie schmecken nicht nur gut, sondern enthalten auch viele gesunde Inhaltsstoffe. Eine Banane, deren Schale die ersten braunen Flecken zeigt, ist am leichtesten verdaulich, denn die in der Frucht enthaltene Stärke wird bereits beim Reifeprozess in Zucker umgewandelt. Wer an Diabetes erkrankt ist oder einen zu hohen Blutzuckerspiegel hat, sollte jedoch aus demselben Grund grünere Bananen bevorzugen.

Am besten lagern Bananen bei Zimmertemperatur, keinesfalls im Kühlschrank, da sie dort an Aroma verlieren. Länger haltbar bleiben sie, wenn du das Stielende mit Frischhaltefolie oder besser mit Wachstuch umwickelst. Dadurch verlangsamt sich der Reifeprozess, der durch aus dem Strunk abgesondertes Ethylengas vorangetrieben wird.

Reift die Banane immer weiter, bis die Schale komplett braun wird, verringert sich laut Untersuchungen ihr Vitamingehalt. Einer japanischen Studie aus dem Jahr 2009 zufolge erhöhen reife Bananen die körpereigene Produktion von Tumor-Nekrose-Faktoren (TNF), die krebshemmend wirken. Darüber hinaus stärken solche Früchte dem Bericht nach achtmal mehr das Immunsystem als unreife Früchte. Statt also die braunen Bananen wegzuwerfen und sich über die Lebensmittelverschwendung zu ärgern, mach was Leckeres daraus!

Smoothie-Fans können süße, braune Bananen zum Beispiel in bunten Mixgetränken verarbeiten. Sie sind aber auch für viele weitere Rezepte zu gebrauchen.

▶ 1. Eiscreme

Eiscreme aus nur einer Zutat? Aus braunen Bananen kannst du mit dem Rezept auf Seite 186 leckeres Bananeneis einfach selbst herstellen. Beeren, Kakao und andere Zutaten geben deinem Eis den besonderen Geschmack, und von den Bananen ist in der fertigen Eiscreme überraschend wenig zu schmecken!

▶ 2. Schoko-Bananen-Mus

Wenn du ein Schokoliebhaber bist, ist das folgende Rezept für ein blitzschnell zubereitetes Dessert bestimmt etwas für dich!

Du brauchst:

4	Bananen
2 EL	Kakaopulver
½ EL	Puderzucker
1 EL	Schokoladenraspel

Die Zubereitung ist kinderleicht:

1. Mit einem Mixer die Bananen in einer Schüssel zu Mus pürieren.
2. Die restlichen Zutaten hinzugeben und gut umrühren.

Reife Bananen eignen sich auch hervorragend für den Schoko-Avocado-Aufstrich auf Seite 113.

▶ 3. Gegrillte (oder gebackene) Banane

Wusstest du, dass Bananen sogar gegrillt werden können? Das klappt ausgezeichnet mit (über-)reifen Früchten. Einfach beim nächsten Grillen die Bananen samt Schale mit auf den Rost legen und heiß genießen.

▶ 4. Banane als Ei-Ersatz

Reife Bananen ersetzen Eier in Kuchen und anderen Gerichten. Eine zerdrückte Banane ersetzt zwei mittelgroße Eier. Wegen der Süße der Banane sollte der Zucker im Rezept um 50 Gramm reduziert werden.

▶ 5. Bananenkuchen

Braune Bananen eignen sich hervorragend für Rezepte zum Backen, zum Beispiel für Bananenkuchen.

Du benötigst:

4	reife Bananen
250 g	Margarine oder Butter
250 g	Zucker
300 g	Mehl
3	Eier
100 g	Vollmilchschokolade
1 TL	Zimt
2 TL	Kakaopulver
½ TL	gemahlene Nelken
1 TL	Natron
1 Pck.	Backpulver

Bei Verwendung von sehr reifen Bananen kannst du die Zuckermenge deutlich reduzieren, etwa nur 50–100 Gramm statt 250 Gramm nehmen.

So geht's:

1. Margarine oder Butter zusammen mit dem Zucker schaumig rühren.
2. Eier hinzugeben.
3. Schokolade raspeln und Zimt, Kakao und gemahlene Nelken unterrühren.
4. Bananen mit einer Gabel zu Mus zerdrücken und hinzufügen.
5. Mehl, Backpulver und Natron hinzugeben und umrühren.
6. Den Teig in eine Backform geben und bei 175 °C etwa 60 Minuten lang backen.

▶ 6. Bananenbrot

Bananenbrot ist ein schönes Mitbringsel und ein toller Snack für unterwegs.

Benötigt werden:

2	reife Bananen
80 g	Butter
100 g	Zucker
90 g	brauner Zucker
1	Ei
2	Eiweiß
175 g	Mehl
1 TL	Natron
½ TL	Salz
½ Pck.	Backpulver
120 ml	Sahne
50 g	gehackte Walnüsse

129

So wird's gemacht:

1. Butter schaumig rühren und beide Sorten Zucker hinzufügen.

2. Ei und zusätzliches Eiweiß unterrühren.

3. Mit einem Stabmixer die Bananen darin zerkleinern.

4. Die restlichen Zutaten zum Teig hinzufügen.

5. Teig in eine gefettete Backform geben und das Brot bei 180 °C etwa 75 Minuten lang im Ofen backen.

6. Zum Ende der Backzeit ein Stäbchen ins Brot stecken und herausziehen. Wenn noch Teig am Stäbchen klebt, muss es noch länger backen.

▶ 7. Bananenkekse

Du liebst Kekse? Dieses Rezept kommt dank der süßen Bananen ganz ohne Zucker aus.

Für je zwei reife Bananen werden gebraucht:

50 g Butter

150 g feine Haferflocken

100 g Mehl

Wasser

In drei einfachen Schritten sind deine Kekse gebacken:

1. Bananen zerdrücken und die restlichen Zutaten dazumischen.

2. Mit den Händen die Masse zu Kugeln formen und auf einem Backblech platt drücken. Falls es zu trocken ist, etwas Wasser hinzufügen.

3. Die Kekse bei 180 °C im Ofen 15 Minuten lang backen.

▶ 8. Apfel-Bananen-Mus

Wenn du die Bananen verwerten willst, aber im Moment keine essen möchtest, kannst du sie zu Mus einkochen.

Du benötigst:

2	reife Bananen
400 g	Äpfel
150 ml	Wasser
2 EL	Zucker
1 Pck.	Vanillezucker

So wird das Mus zubereitet:

1. Äpfel schälen, entkernen und kleinschneiden.
2. Äpfel mit den restlichen Zutaten bis auf die Bananen etwa 20 Minuten kochen.
3. Bananen hinzugeben und alles zu einem Brei pürieren.
4. Alles noch einmal kurz aufkochen.
5. Das fertige Mus in desinfizierte Gläser füllen und sofort verschließen.

⊕ *smarticular.net/braune-bananen*

Orangenschalen nicht wegwerfen

Orangen, Zitronen, Mandarinen und andere Zitrusfrüchte sind in vielen Küchen fast unersetzlich. Gerade im Winter und zur Weihnachtszeit sind sie beliebt und helfen uns, den täglichen Bedarf an Vitamin C leicht und schmackhaft zu decken.

Meist interessiert nur das Fruchtfleisch, die Schalen hingegen werden achtlos weggeworfen. Dabei finden wir auch in den Schalen viele wertvolle Inhaltsstoffe, allen voran Vitamin C, aber auch verschiedene B-Vitamine, Mineralien (insbesondere Kalium und Kalzium) und Aminosäuren.

Die gesunden Inhaltsstoffe in den Schalen von Orangen, Zitronen und Pampelmusen in Bio-Qualität kann man wunderbar in der Küche anwenden, aber auch für Gesundheit und Körperpflege haben sie noch so einiges zu bieten.

▶ 1. Aroma zur Verfeinerung

Der Abrieb von Orangenschalen oder Zitronenschalen verfeinert Kuchen, Gebäck, Desserts, Soßen und Getränke auf natürliche Art. In der Backabteilung findest du viele verschiedene Formen dieses Aromas, aber warum extra Geld ausgeben? Nimm einfach ein paar Schalen und reibe dein eigenes Aromapulver. Sanft getrocknet, kannst du es mehrere Monate lang aufheben und nutzen.

▶ 2. Orangenschalentee

Die Schalen von Orangen sind in vielen Teemischungen enthalten. Wenn du Bio-Orangen im Haus hast, kannst du Orangenschalen auch direkt als Teeaufguss verwenden. Frisch oder getrocknet verströmen sie ein angenehmes Aroma.

▶ 3. Fruchtig-herbe Süßigkeiten

Aus den Schalen lassen sich auch leicht fruchtige, herbe Süßigkeiten zaubern. Dazu werden die Schalen klein geschnitten, gekocht, dann nochmals mit Zucker aufgekocht und zum Schluss mit Zucker bestreut.

▶ 4. Orangenschalen in Gebäck und Marmelade

Ein paar Orangenschalen-Stückchen im Kuchen oder in der Marmelade können neben dem Aroma auch gesundheitliche Vorteile mit sich bringen. So sollen besonders Bitterorangen die Verdauung anregen und beim Abnehmen helfen.

▶ 5. Zitronat und Orangeat

Wenn du keine Möglichkeit hast, die Schalen frisch zu verarbeiten, kannst du daraus mit wenigen Handgriffen Zitronat beziehungsweise Orangeat auf Vorrat herstellen (siehe Seite 134).

▶ 6. Vitamin-C-Nahrungsergänzungsmittel

Die Schalen von Orangen und Zitronen enthalten sehr viel Vitamin C, und wenn du ein paar Schalen von Bio-Früchten übrig hast, lässt sich daraus ganz leicht hausgemachtes Vitamin-C-Pulver herstellen (siehe Seite 148). Im Winter und bei Erkältungen kann es wahre Wunder für die Gesundheit bewirken.

7. Hautunreinheiten behandeln

Pickel, Hautunreinheiten, Sommersprossen und Altersflecken können mit dem Vitamin C in Zitrusschalen behandelt werden. Reibe nach dem Essen einfach die weiße Innenseite der Schalen über die betroffenen Hautpartien. Wenn du diese Behandlung regelmäßig wiederholst, werden Pickel und Unreinheiten schon nach ein paar Tagen deutlich gemildert.

8. Einfacher Kalklöser

Die Schalen der Zitrusfrüchte beinhalten Zitronensäure, einen der besten Kalklöser überhaupt. Wenn die Armaturen der Dusche oder Küchenoberflächen Kalkspuren aufweisen, dann nimm einfach die Schalen einer ausgepressten Zitrone oder Orange und reibe mit der Innenseite verkalkte Armaturen ab. Der Kalk löst sich schnell, und deine Wasserhähne funkeln wieder wie neu.

9. Allzweckreiniger herstellen

Dieselbe Wirkung kannst du auch konservieren und im Handumdrehen einen preiswerten, natürlichen und sehr effektiven Haushaltsreiniger herstellen.

Dafür benötigst du nur Haushaltsessig und die Schalen von Zitrusfrüchten. Schalen ohne Fruchtfleisch-Reste in ein Glas geben, mit Tafelessig aufgießen und für zwei Wochen durchziehen lassen.

⊕ smarticular.net/orangenschalen

Nicht wegwerfen

Zitrusschalen zu Zitronat und Orangeat verarbeiten

Anstatt die Schalen von Bio-Orangen und -Zitronen wegzuwerfen, stelle doch mal köstliches Orangeat bzw. Zitronat daraus her! Aus der Weihnachtsbäckerei sind sie nicht wegzudenken, aber auch anderen Speisen wie Obstsalaten oder Pudding verleihen die süß-herben Zutaten eine unverwechselbare Note.

Auf Konservierungsmittel und andere Zusatzstoffe verzichtest du auf diese Weise auch gleich, denn für selbst gemachtes Orangeat (oder Zitronat) brauchst du nichts weiter als die Fruchtschalen und Zucker oder Honig.

Für die Herstellung eignet sich einerseits die klassische Variante zum Kandieren der Fruchtschalen mit Zucker, zum anderen ein Rohkost-Rezept, bei dem die zerkleinerten Schalen roh in Honig eingelegt werden. Egal ob Zitronat oder Orangeat – der Ablauf ist exakt gleich.

▶ Rezept für Zitronat mit Zucker

Mit diesem Rezept erhältst du klassisches Zitronat, das genauso wie die industriell hergestellte Variante verwendet werden kann.

Du benötigst dafür:

- Schale von unbehandelten Zitronen oder Orangen
- Zucker

Verwende möglichst Bio-Früchte, und achte darauf, dass die Schalen als zum Verzehr geeignet deklariert sind.

Und so gehst du bei der Zubereitung vor:

1. Schale der Früchte säubern.

2. Früchte schälen und die Schale von jeglichen Fruchtfleisch-Resten und schadhaften Stellen befreien.

3. Schale bis zur gewünschten Größe zerkleinern. Bei kleineren Mengen reicht dafür ein Messer. Willst du dir einen Vorrat zulegen, kannst du auch eine Küchenmaschine verwenden.

4. Zerkleinerte Schale in einen Topf geben, mit Wasser bedeckt aufkochen und anschließend abseihen. Den Vorgang noch zwei weitere Male wiederholen, um den Gehalt an Bitterstoffen etwas zu reduzieren.

5. Schalenstücke abtropfen lassen und wiegen.

6. Mit der gleichen Menge Zucker und etwas Wasser in einen Topf geben, aufkochen und circa eine Stunde lang köcheln lassen, bis die Schalen glasig sind.

7. Gut abtropfen lassen. Die Abtropf-Flüssigkeit schmeckt köstlich als Marmeladenersatz aufs Brot oder kann statt Honig beim Backen verwendet werden.

8. Einige Tage lang trocknen lassen. Eilige können das Zitronat auch bei niedriger Temperatur im Backofen trocknen.

9. Zur Aufbewahrung in ein Schraubglas geben.

Im Kühlschrank hält sich das Zitronat mehrere Wochen.

> **Tipp:** Wenn du die Schalen vor dem Kandieren in größere Stücke schneidest, eignen sich Zitronat und Orangeat auch hervorragend zum Naschen oder mit etwas Schokolade überzogen als exquisites Mitbringsel aus der Küche.

▶ Zitronat mit Honig

Gehörst du zu den Menschen, die lieber vollwertig kochen und Zucker in der Küche reduzieren möchten? Dann könnte das folgende Rezepte eine Alternative für dich sein.

Dafür brauchst du:

- Schale von unbehandelten Bio-Zitronen oder Orangen
- Honig, am besten eine Sorte mit mildem Aroma, z. B. Akazienhonig. Für veganes Zitronat kannst du alternativ einen pflanzlichen Sirup wie etwa Agavendicksaft verwenden.

Die Zubereitung bedarf nur weniger Minuten:

1. Schale säubern und zerkleinern.
2. Mit Honig vermischen und in ein Schraubglas füllen. Dabei sollten alle Schalenstücke gerade so mit Honig oder Sirup bedeckt sein.
3. Die fertige Mischung in den Kühlschrank stellen und für einige Tage bis Wochen durchziehen lassen.

⊕ *smarticular.net/zitronat*

Gesundmacher

Zwiebel-Hustensaft

Dieses alte Hausmittel kannten schon unsere Großeltern. Es ist eine natürliche Alternative zu Hustensäften aus der Apotheke, die oft künstliche Süßstoffe und Konservierungsmittel enthalten.

▶ Basisrezept für Zwiebel-Hustensaft

Mit nur wenigen Handgriffen entsteht ein wirksamer Hustensaft, der das Abhusten erleichtert und gereizte Schleimhäute beruhigt. Mit verschiedenen Kräutern oder ätherischen Ölen kann dieser einfache Saft individuell an die Symptome angepasst werden.

Das wird benötigt:

100 g Zwiebeln

100 g brauner Zucker

feiner Filter, etwa der Fuß einer alten Feinstrumpfhose

Für dieses Rezept kannst du sowohl weiße als auch rote Zwiebeln verwenden. Rote Zwiebeln sind von Vorteil, weil sie schneller mehr Flüssigkeit abgeben und der Sirup am Ende nur wenig nach Zwiebel schmeckt.

So bereitest du den Hustensaft zu:

1. Zwiebeln würfeln. Je feiner, desto schneller bildet sich Sirup.

2. Abwechselnd mit Zucker in Schichten in ein großes Schraubglas füllen.

3. Schon nach zwei Stunden lässt sich der Saft filtern.

▶ Varianten für noch mehr Heilwirkung

Kräuterzugaben (zum Beispiel Thymian oder Spitzwegerich) werden einfach mit den Zwiebeln ins Glas geschichtet. Es können frische oder getrocknete Heilpflanzen verwendet werden. Um deren Wirksamkeit zu gewährleisten, sollte der Hustensirup mindestens zwei Wochen auf der Fensterbank ziehen.

Es hat sich bewährt, Kräuter entsprechend ihrer saisonalen Verfügbarkeit zu nutzen.

Frühjahr:

- Huflattich (Blüten und junge Blätter)
- Fichtenwipfel, Tannenspitzen (wenn sie noch ganz hellgrün sind)
- Blüten der Schlüsselblume

Sommer:

- Blüten der Königskerze
- Eibischblüten

In Herbst und Winter kannst du auf getrocknete Pflanzen und Wurzeln zurückgreifen:

- Süßholzwurzel
- Eibischwurzel
- Ingwer

Ätherische Öle werden nach dem Filtrieren zugegeben. Auf ein Marmeladenglas mit etwa 400 Milliliter Sirup kommen maximal fünf Tropfen. Du solltest nur solche ätherischen Öle verwenden, die laut Packungsangabe ausdrücklich zum Verzehr geeignet sind. Kinder reagieren auf ätherische Öle oft empfindlich. Deshalb solltest du beim Kinder-Hustensaft auf die Verwendung ätherischer Öle verzichten.

⊕ smarticular.net/zwiebel-hustensaft

Gesundmacher

Winterrettich-Hustensaft

Wenn du an Rettich denkst, hast du sicher die große, weiße Rübe vor Augen, aus der sich unter anderem köstliche Rohkost-Salate herstellen lassen. Weniger bekannt ist der „kleine Bruder" des Weißen Rettichs, der Schwarze Rettich oder auch Winterrettich. Ab Oktober erntereif, liefert er als Wintergemüse zahlreiche Vitalstoffe für die kalte Jahreszeit.

Aufgrund ihrer schleimlösenden und antibakteriellen Inhaltsstoffe sowie des hohen Vitamin-C-Gehalts eignet sich die unscheinbare schwarze Knolle hervorragend zur Herstellung eines natürlichen Hustensirups für die ganze Familie.

▶ Zutaten für Hustensirup mit Schwarzem Rettich

Für die Zubereitung brauchst du lediglich zwei Zutaten und einige wenige Utensilien:

1	möglichst kugelförmigen Winterrettich
4-6 EL	Kandis oder braunen Zucker
1	Küchenmesser
1	Stricknadel oder einen anderen spitzen Gegenstand
1	leeres Trinkglas (die Öffnung des Glases sollte so groß sein, dass du den Rettich stabil darauf platzieren kannst)

▶ Hustensirup aus Schwarzem Rettich herstellen

Und so gehst du bei der Herstellung vor:

1. Kappe der Knolle abschneiden.

2. Mit einem Löffel oder Kugelausstecher das Innere der Frucht aushöhlen.

3. Mit einem spitzen Gegenstand wie zum Beispiel einer Stricknadel ein kleines Loch in die untere Spitze des Rettichs stechen, das bis zur Aushöhlung reicht.

4. Rettich auf ein Glas setzen, so dass sich das Loch über der Glasöffnung befindet.

5. Aushöhlung im Rettich mit Kandis oder braunem Zucker füllen.

6. Rettich-Deckel wieder aufsetzen.

7. Einige Stunden oder über Nacht stehen lassen. Der Zucker verflüssigt sich und löst die heilenden Inhaltsstoffe aus der Knolle heraus. Fertiger Hustensirup tropft durch das Loch ins Glas.

8. Den Sirup in ein Schraubglas füllen und im Kühlschrank aufbewahren.

Bei einem großen Rettich-Exemplar kannst du diesen Vorgang mehrmals wiederholen, indem du nach Abfluss des Sirups eine neue Schicht im Inneren aushöhlst und ihn dann erneut mit Zucker befüllst.

▶ Dosierung

Vom fertigen Hustensirup kannst du je nach Bedarf drei- bis fünfmal täglich einen Esslöffel im Mund zergehen lassen. Der Sirup wirkt schleimlösend und stärkt die Selbstheilungskräfte des Körpers, sodass du bald eine Verbesserung der Erkältungssymptome bemerken wirst.

⊕ *smarticular.net/rettich-hustensaft*

Gesundmacher

Heilkräuter-Hustensirup

Bei Husten, Halsschmerzen und Heiserkeit sind natürliche Kräuter seit jeher die beste Medizin. Viele Kräuter wirken antibakteriell und entzündungshemmend, die enthaltenen ätherischen Öle sind gut für die Atemwege. Sie lindern akute Halsschmerzen und fördern die Heilung.

Aus einfachen Zutaten kann jeder leicht selbst einen heilsamen und wohlschmeckenden Hustensaft herstellen. Der Saft ist ein Kraftpaket aus der Essenz wertvoller Kräuter. Ein Teelöffel dieses heilsamen Hausmittels, bei Bedarf bis zu fünfmal täglich eingenommen, lindert Husten und lässt Halsschmerzen, Heiserkeit und Schluckbeschwerden schneller verschwinden.

Für den selbst gemachten Sirup benötigst du:

2 EL Fenchelsamen

2 EL getrockneten Salbei

1 EL getrocknete Pfefferminze

1 EL getrocknete Kamille

500 ml Wasser

400 g braunen Kandiszucker

kleine Glasflaschen zum Abfüllen

Statt Fenchel und Salbei können auch andere Kräuter mit antibakterieller und entzündungshemmender Wirkung verwendet werden, unter anderem sind Spitzwegerich, Thymian, Holunderblüten und Bockshornklee gut geeignet.

So gehst du vor:

1. Kräuter in einen Topf geben und mit kochendem Wasser aufgießen.
2. Den Sud für 10 Minuten auf kleiner Flamme ziehen lassen.
3. Abseihen.
4. Kandiszucker darin auflösen.
5. Unter Rühren weiterköcheln lassen, bis eine leicht zähflüssige Konsistenz erreicht ist.
6. Etwas abkühlen lassen und in eine Flasche füllen.

Fertig ist der Hustensaft! Er wirkt lindernd und unterstützt die Heilung auch bei weiteren Atemwegserkrankungen wie Bronchitis, Nasennebenhöhlenentzündung, Mandelentzündung und Rachenentzündung.

⊕ *smarticular.net/hustensirup*

Halsbonbons

Der Hals kratzt? Das Schlucken macht Beschwerden? Da tut ein Hustenbonbon gut. Die Bonbons nach dem folgenden Rezept sind nicht nur preisgünstig, sondern auch noch gesünder als viele Produkte aus dem Laden. Mit dem enthaltenen Xylit (auch als Xylitol oder Birkenzucker bekannt) pflegst du ganz nebenbei deine Zähne.

Du brauchst folgende Zutaten:

100 g Xylit

2 EL frische (oder 1 EL getrocknete) Kräuter, fein gehackt oder gemörsert

In wenigen Schritten entstehen die heilsamen Bonbons:

1. Xylit im Topf bei mittlerer Hitze erwärmen, bis es zu einer transparenten Flüssigkeit wird.

2. Topf vom Herd nehmen und die Kräuter einrühren.

3. Die noch flüssige Masse in Bonbongröße auf ein Backpapier tropfen und für mindestens eine Stunde erkalten lassen.

4. Wenn die Bonbons ganz hell sind, lassen sie sich leicht vom Papier lösen, und du kannst sie in einer luftdichten Dose aufbewahren.

Diese Kräuter eignen sich besonders gut bei Halsbeschwerden:

* Salbei wirkt entzündungshemmend, stärkt und desinfiziert das Zahnfleisch und hilft vorbeugend gegen Erkältungskrankheiten.

* Thymian hilft gegen Reizhusten, Keuchhusten und Bronchitis, aktiviert das Immunsystem und wirkt schleimlösend.

* Melisse beruhigt und fördert einen wohltuenden Schlaf, hilft gegen Kopfschmerzen und wirkt kräftigend.

* Holunderblüten stärken das Immunsystem, lindern Heiserkeit und trockenen Husten.

* Lavendel wirkt desinfizierend, beruhigend und ausgleichend.

* Malve wirkt reizmildernd und entzündungshemmend bei Husten und Katarrhen der Atemwege.

⊕ *smarticular.net/halsbonbons*

Ingwer-Zitronen-Knoblauch-Trunk

Dieser „Zaubertrunk" für alle Arten von Erkältungskrankheiten wirkt nicht nur prophylaktisch, sondern unterstützt auch das Immunsystem, wenn dich bereits eine Erkältung erwischt hat. Der Geschmack ist nicht unbedingt jedermanns Sache, aber Probieren lohnt sich.

Gesundmacher

Du brauchst:

250 g	Wiesenhonig
1	mittelgroße Ingwerknolle
	Saft einer halben Zitrone
1–2	Knoblauchzehen
	Einmachglas (ca. 700 ml)

So wird daraus ein wirksamer Erkältungstrunk:

1. Ingwer reiben, Zitrone auspressen, Knoblauch fein hacken.

2. Alle Zutaten mit zunächst nur wenig Honig in ein Einmachglas geben und einen Tag lang stehen lassen.

3. Wenn Ingwer und Knoblauch etwas Saft abgegeben haben, mit dem restlichen Honig auffüllen.

Bei Erkältung, Grippe oder Halsschmerzen nimm täglich bis zu drei Esslöffel des süß-herben Saftes ein. Zur prophylaktischen Stärkung des Immunsystems reichen ein bis zwei Esslöffel am Tag.

⊕ *smarticular.net/ingwer-trunk*

Ingwer-Kur für das Immunsystem

Eine der besten Heilpflanzen zur Vorbeugung gegen Erkältungen und grippale Infekte ist Ingwer, der sowohl vorbeugend als auch lindernd bei akuten Symptomen wirkt. Wenn du regelmäßig von Erkältungsbeschwerden geplagt wirst, dann probiere es doch mal mit einer Ingwer-Kur. Diese zweiwöchige Kur sollte schon im September durchgeführt werden, denn sie stärkt das Immunsystem und bereitet den Organismus optimal auf die Erkältungszeit im Winter vor.

Je nach Wetter werden dabei täglich ein bis zwei Liter Ingwertee oder Ingwersaft getrunken. Dazu gibt es einige selbst gemachte Ingwerkekse (siehe Seite 146).

▶ Ingwertee zubereiten

Für den immunstärkenden Tee schneide einfach ein Stück Ingwer in dünne Scheibchen und übergieße sie mit heißem Wasser. Nach ein paar Minuten ist der Aufguss fertig. Die Ingwerscheiben kannst du bis zu dreimal aufgießen. Bei der benötigten Ingwermenge hat jeder seine Vorlieben. Einige mögen den Tee eher stark, andere eher mild. Spätestens nach dem zweiten oder dritten Aufguss weißt du, welche Menge für dich die richtige ist.

▶ Ingwersaft herstellen

Alternativ kannst du frischen Ingwersaft auf Vorrat in einem Smoothie-Mixer herstellen.

Dafür benötigst du:

1 L Wasser

1 etwa daumengroßes Stück Ingwer

1 Bio-Zitrone, geviertelt

2–3 Teelöffel Rohrzucker

Im Smoothie-Mixer wird daraus hochkonzentrierter Ingwersaft als Basis für köstlichen Ingwertee:

1. Alle Zutaten auf höchster Stufe im Mixer fein pürieren.

2. Mit einem Geschirrtuch oder einem feinen Sieb den Saft abfiltern.

3. Das Püree unbedingt aufheben, denn damit können köstliche Ingwer-kekse zubereitet werden (siehe Seite 146).

Der Saft hält sich in einer sauberen Flasche für einige Wochen im Kühlschrank. Er kann wie ein Sirup mit warmem oder heißem Wasser verdünnt getrunken werden: Auf einen Teil gekühlten Saft kommen drei Teile Wasser.

Ingwer-Cracker

Das übrig gebliebene Ingwer-Zitronen-Püree von der Saftbereitung ist zu scha-de zum Wegwerfen, denn es beinhaltet wertvolle Vitalstoffe und kann zu gesun-den Crackern verarbeitet werden, die die Ingwer-Kur ideal ergänzen.

Vermische das im vorherigen Rezept übrig gebliebene Zitronen-Ingwer-Püree mit der gleichen Menge Haferflocken. Diesen cremigen Teig brauchst du nur noch etwa fünf Millimeter dick auf ein Backblech zu streichen. Im Backofen bei 80 °C (Umluft) ungefähr eine Stunde trocknen lassen. Backofentür nicht ganz schließen, damit die verdunstete Feuchtigkeit aus dem Herd entweichen kann. Wenn der Teig hinreichend getrocknet ist, in kleine Stücke schneiden oder brechen.

⊕ smarticular.net/ingwer-kur

Eiweiß-Nahrungsergänzung mit Brennnesseln

Vegetarier und Bodybuilder haben eines gemein: Sie achten ganz besonders auf ihre Proteinzufuhr! Wie gelingt es, möglichst viele, hochwertige, gesunde und am besten sogar pflanzliche Proteine zu sich zu nehmen? Es gibt viele pflanzliche Proteinquellen und auch zahlreiche Nahrungsergänzungsmittel, die ausreichend Proteinversorgung versprechen.

Dabei geht es auch deutlich preiswerter, denn eine der besten Proteinquellen wächst kostenlos in fast jedem Park und vielen Gärten. Gemeint sind die Brennnesselsamen! Sie enthalten bis zu 30 Prozent besonders hochwertiger Proteine und sind ein fantastisches, natürliches Nahrungsergänzungsmittel. Neben Proteinen liefern sie außerdem sehr viele Mineralstoffe und essenzielle Fettsäuren.

▶ Kostenloses Proteinpulver herstellen

Die wertvollen Samen kannst du etwa von Juli bis August ernten. Alles, was du benötigst, sind Handschuhe und eine kleine Gartenschere. Wenn du die Pflanzen stehen lassen möchtest, dann kannst du die Samenbüschel einzeln abknipsen. Sofern genug Pflanzen vorhanden sind oder du die ebenfalls proteinreichen Blätter auch verwenden möchtest, dann kannst du auch etwas effizienter vorgehen:

1. Kompletten Brennnesseltrieb abschneiden.

2. Kleine Zweige mit Blättern abknipsen.

3. Die verbliebenen Samenstauden einfach mit dem Handschuh abstreifen.

Um die Samen länger aufbewahren zu können, ist es empfehlenswert, sie zu trocknen – am besten sofort nach dem Sammeln, da sie leicht schimmeln. Dies sollte aber sanft bei weniger als 40 °C geschehen, zum Beispiel in einem

Dörrautomaten, da sonst wertvolle Inhaltsstoffe verloren gehen. An warmen Tagen kannst du sie einfach auf einem Tuch an einem schattigen Platz zum Trocknen ausbreiten.

Entferne verbliebene Stängel und Zweiglein, indem du alles in einem Mixer zu Pulver verarbeitest und die Stängel anschließend heraussammelst.

Das auf diese Weise gewonnene Proteinpulver aus Brennnesselsamen lässt sich vielseitig einsetzen. Es schmeckt leicht nussig und eignet sich als gehaltvolle Zugabe für Salate, Suppen, Quark, Frischkäse und Müsli.

⊕ smarticular.net/brennnesselsamen

Vitamin-C-Nahrungsergänzungsmittel

Bei besonderer körperlicher Belastung oder in der Erkältungszeit reicht das Vitamin C, das wir über die Nahrung aufnehmen, eventuell nicht aus. Zur Nahrungsergänzung wird im Handel häufig Ascorbinsäure als Vitamin C angeboten. Ascorbinsäure ist jedoch ein synthetisch hergestelltes Produkt, das überwiegend aus Mais gewonnen wird.

Dabei ist es so einfach, wertvolles Vitamin C in hoher Konzentration in Form frischer, heimischer Nahrungsmittel wie Petersilie, Sanddorn und Hagebutten zu sich zu nehmen (siehe Seite 58)! Aber auch aus vermeintlichen Abfallprodukten lässt sich ein hervorragender Vitamin-C-Nahrungszusatz zu Hause preiswert herstellen. Du brauchst dafür lediglich Bio-Zitrusfrüchte (Zitronen, Orangen, Limetten, Mandarinen) je nach Saison.

So entsteht daraus ein Pulver, das zum großen Teil aus Vitamin C besteht:

1. Früchte gründlich waschen.

2. Mit einem Sparschäler die äußere Haut abschälen und auf einem sauberen Küchentuch zum Trocknen ausbreiten.

3. Einige Tage bei Zimmertemperatur trocknen lassen.

4. In einer Kaffeemühle fein mahlen.

5. Das fertige Pulver in einem Schraubglas aufbewahren.

Dieses selbst gemachte Nahrungsergänzungsmittel muss den Vergleich mit käuflichen Vitamin-C-Präparaten nicht scheuen. Es ist sehr vielfältig einsetzbar. Du kannst es beispielsweise über das Frühstücksmüsli streuen, mit Joghurt vermischen oder gesunde Smoothies damit anreichern. Das Pulver besitzt einen sehr hohen Vitamin-C-Gehalt und bietet eine noch bessere Bio-Verfügbarkeit als synthetische Präparate.

> **Hinweis:** Neben dem Vitamin finden sich in den Schalen von Zitrusfrüchten verschiedene Arten von Flavonoiden. Das sind sekundäre Pflanzenstoffe, die als Antioxidantien hochwirksam sind und zudem die Wirksamkeit des natürlichen Vitamin C erhöhen.

🌐 *smarticular.net/vitamin-c-pulver*

Getränke

Mandelmilch und Cashewmilch

Wer sich rein pflanzlich ernährt oder auf der Suche nach einer Alternative zu Kuhmilch ist, muss oft tief in die Tasche greifen. Dabei geht es deutlich preiswerter. Gerade bei Nussmilch lässt sich erstaunlich viel sparen, wenn man sie zu Hause aus nur zwei Zutaten selber macht.

Du brauchst:

1 Tasse	Mandeln oder Cashew-Kerne
3 Tassen	Wasser
4	entsteinte Datteln oder 1–2 EL Reissirup oder anderes Süßungsmittel (optional)
	Nussmilchbeutel, Durchseihtuch, Wäschebeutel oder Küchentuch

So geht's:

1. Nüsse über Nacht in Wasser einweichen, abgießen und gut durchspülen.

2. Nüsse mit drei Tassen Wasser in einen Mixer geben und auf höchster Stufe für etwa zwei Minuten mixen.

3. Wer es süß mag, fügt nun noch Datteln oder eine flüssige Süße zur Milch hinzu und mixt erneut gut durch.

4. Nun einen Nussmilchbeutel, Wäschebeutel oder ein feines Tuch in ein Sieb legen und die Milch abseihen. Rückstände im Tuch gut auswringen, sodass die komplette Flüssigkeit aufgefangen wird.

5. Fertige Milch in Flaschen füllen und im Kühlschrank lagern.

> **Tipp:** Die Reste aus deinem Nussmilchbeutel solltest du keinesfalls wegwerfen. Du kannst sie für dein morgendliches Müsli verwenden, selbst gemachte Müsliriegel, Kuchen, Kekse oder sogar herzhafte Brote damit backen.

▶ Experimentierfreude zahlt sich aus

Pflanzenmilch lässt sich auch aus anderen Zutaten herstellen. Haselnüsse eignen sich zum Beispiel ebenfalls sehr gut und ergeben einen leckeren Haselnuss-Drink. Sesam ist eine weitere Alternative. Zum Süßen der Milch können unterschiedliche Süßungsmittel verwendet werden, die das Aroma noch weiter verfeinern. Gewürze wie Vanille, Zimt oder Kardamom geben dem Nussdrink den Extrapepp. Mit etwas Kakao wird aus der Nussmilch ein leckerer Schokodrink.

▶ Wie sich die Nussmilch weiterverwenden lässt

Wie jede andere Milch auch kann man die selbst gemachte Nussmilch sehr vielseitig verwenden. Hier ein paar Vorschläge:

- als Grundlage für Smoothies
- im Kaffee als Milch-Ersatz
- im Haferbrei (Porridge)
- für Trink-Kakao
- im Müsli
- als Milchersatz beim Kochen und Backen
- für Puddings und Desserts

⊕ *smarticular.net/mandelmilch*

151

Dinkelmilch und Hafermilch

Eine weitere gesunde wie wohlschmeckende Alternative zu Kuhmilch sind Dinkel- oder Hafermilch! Beide lassen sich erstaunlich einfach aus drei preiswerten Grundzutaten zu Hause herstellen.

Du benötigst:

80 g Hafer- oder Dinkelkörner in Bio-Qualität

1 L Wasser

Süße deiner Wahl (etwa Datteln, Birkenzucker oder Honig)

Standmixer oder Pürierstab

Nussmilchbeutel oder Filtertuch

So gehst du vor:

1. Getreidekörner für mindestens 12 Stunden in Wasser einweichen.

2. Körner absieben und mit einem Liter Frischwasser im Mixer kräftig mixen.

3. Die gesamte Flüssigkeit durch einen Nussmilchbeutel oder alternativ einen anderen Filter abseihen.

4. Nach Belieben süßen.

5. In Flaschen füllen und kühl aufbewahren.

Fertig ist der äußerst schmackhafte Ersatz für Kuhmilch! Die selbst gemachte Dinkelmilch oder auch Hafermilch hält sich im Kühlschrank bis zu einer Woche.

🌐 *smarticular.net/hafermilch*

Getränke

Sojadrink

Der Sojadrink ist der Klassiker unter den Alternativen zur Kuhmilch. Er lässt sich ebenso wie Nussmilch und Getreidemilch einfach und preisgünstig aus wenigen Zutaten selbst herstellen.

Benötigt werden:

2 Tassen Sojabohnen

4 Tassen Wasser (sowie Wasser zum Einweichen)

Süßungsmittel deiner Wahl (optional)

Pürierstab mit hohem Mix-Gefäß

feines Sieb oder Tuch

So funktioniert's:

1. Zwei Tassen Sojabohnen über Nacht in reichlich Wasser einweichen, abgießen und noch einmal abspülen.

2. Bohnen mit dem doppelten Volumen Wasser sehr fein pürieren.

3. Sieb in eine Schüssel hängen und die pürierte Masse abseihen.

4. Im Tuch verbleibende Flüssigkeit herausdrücken. Dazu eignet sich ein großer Löffel oder eine Schöpfkelle.

5. Wenn nur noch wenig Flüssigkeit in der Masse enthalten ist, die Enden des Tuchs zusammenlegen und die restliche Flüssigkeit mit den Händen auspressen.

Diese Methode ergibt 750 Milliliter bis einen ganzen Liter Sojamilch. Sie ist hochkonzentriert und kann mit Wasser auf bis zu zwei Liter gestreckt sowie nach Bedarf gesüßt werden.

Im Gegensatz zu selbst gemachten Mandel- oder Haferdrinks sollte die gewonnene Rohmilch aus Soja vor dem Verzehr langsam und unter stetigem Rühren erhitzt werden. Zu Beginn kann es stark schäumen, dies lässt aber nach kurzer Zeit nach. Ungefähr 15 Minuten köcheln lassen und dabei gelegentlich umrühren.

> **Tipp:** Wem der Sojageschmack noch zu intensiv ist, der kann die Bohnen nach dem Einweichen schälen.

⊕ *smarticular.net/sojadrink*

Wasserkefir

Wasserkefir ist ein spritziges Erfrischungsgetränk und deutlich gesünder als herkömmliche Limonaden. Das Beste: Er lässt sich zu Hause ohne viel Aufwand preisgünstig herstellen.

Die Basis des Wasserkefirs sind sogenannte Kefirkristalle, auch bekannt als Japankristalle oder Himalaya-Kristallalgen. Sie sind eine Kombination aus Hefe- und Milchsäurebakterien. Die lebenden Organismen produzieren aus Zucker, Wasser, getrocknetem Obst, Zitrone und anderen optionalen Zutaten mittels Milchsäuregärung ein erfrischendes Getränk.

Durch die bei diesem Prozess gebildete Milchsäure entsteht ein leicht säuerlich-spritziger Geschmack, die Hefegärung sorgt für die perlende Kohlensäure. Für Kinder ist das Getränk jedoch nicht geeignet, da je nach Dauer der Gärung und abhängig von der Lagerung ein geringer Alkoholgehalt von bis zu zwei Prozent entstehen kann.

Getränke

▶ Woher bekomme ich den Wasserkefir?

Wir haben unsere Kristalle bei Foodsharing entdeckt. Sieh doch mal auf der Website (foodsharing.de) nach, ob sie auch in deiner Gegend geteilt werden. Es lohnt, auch im Freundeskreis zu fragen. Wenn dies nicht hilft, kannst du Wasserkefir-Kulturen auch online erwerben.

Wenn du erst einmal Kefir-Kristalle besitzt und sie gut pflegst, vermehren sie sich, und du kannst sie immer wieder zur Herstellung deines eigenen Erfrischungsgetränkes verwenden.

> **Hinweis:** Setze nur mit solchen Kristallen Wasserkefir an, die neutral oder leicht nach Hefe riechen. Faulig riechende Kulturen wurden falsch behandelt und sollten nicht mehr verwendet werden.

▶ Wasserkefir zubereiten

Die Zubereitung ist sehr einfach. Für einen Liter brauchst du:

30 g	Kefir-Kristalle
70–100 g	Zucker oder Birkenzucker
30 g	ungeschwefelte Trockenfrüchte
1–2	Bio-Zitronenscheiben
1 L	Wasser
	verschließbares Gefäß mit 1 L Volumen

Getränke

Beim Gärprozess entwickelt sich Kohlensäure, die bei zu hohem Druck entweichen können sollte. Gläser mit Schraubverschluss sollten deshalb nicht zu fest geschlossen werden. Ideal sind Bügelverschlussgläser mit Gummidichtung. Deren Konstruktion verhindert, dass Luft von außen eindringt, erlaubt aber das Entweichen der Kohlensäure.

Wichtig: Die Kefir-Kristalle sollten nicht mit Metall in Berührung kommen. Verwende deshalb ausschließlich Gläser und Utensilien aus Holz oder Plastik.

So verfährst du:

1. Wasser und Zucker ins Glas geben und verrühren, bis sich der Zucker aufgelöst hat.

2. Die weiteren Zutaten dazugeben und das Glas verschließen.

3. Nach ein bis drei Tagen ist das Getränk fertig. Durch ein Sieb in ein anderes Gefäß abgießen.

4. Die Kristalle mit lauwarmem Wasser reinigen. Das erste Gefäß gründlich reinigen und neuen Wasserkefir ansetzen. Die Trockenfrüchte können einmalig wiederverwendet werden, danach lassen sie sich in anderen Speisen weiterverarbeiten.

▶ Ingwer, Limette und Fruchtaroma – viele Varianten sind möglich

Es gibt viele verschiedene Rezepte für Wasserkefir. Ganz nach Geschmack können weitere Aromen ergänzt werden. Hier ein paar wenige Beispiele zur Anregung:

*   Ingwer kann gerieben oder fein gehackt mit in die Flasche.

*   Zuckerrübensirup hilft den Kristallen, sich schneller zu vermehren.

*   Auch frische Früchte sind als Zusatz geeignet, ein besonders fruchtiges Aroma verleihen frische Himbeeren.

*   Verwende auch mal Orangen oder Limetten statt Zitronen.

*   Bereite das Getränk mit Tee statt Wasser zu.

*   Wenn dir das fertige Getränk zu süß ist, dann gib nochmals ein paar Kristalle hinzu, und lass sie einen weiteren Tag für dich arbeiten.

▶ Kefirkristalle aufbewahren

Wenn du in den Urlaub fährst oder die Kristalle eine Zeit lang nicht nutzen möchtest, kannst du sie im Kühlschrank aufbewahren. Fülle sie hierzu in ein Glas, bedecke sie mit Wasser und gib etwas Zucker dazu. Wasser und Zucker solltest du alle 7–14 Tage austauschen.

Wenn du deinen Wasserkefir einmal für längere Zeit verstauen möchtest, kannst du ihn entweder einfrieren oder auch trocknen. Zum Einfrieren gib ihn in einen Gefrierbeutel oder besser noch ein Schraubglas (nur zum Teil füllen, damit es nicht springt), und bedecke ihn mit etwas Flüssigkeit.

Alternativ kannst du die Kulturen auch trocknen und später wieder aktivieren. Verwende dafür entweder den Backofen oder einen Dörrautomaten. Wichtig ist, dass die Temperatur 37 °C nicht übersteigt, da die Kulturen ansonsten absterben. Zum Aufbewahren eignen sich am besten dunkle Schraubgläser.

⊕ *smarticular.net/wasserkefir*

Milchkefir

Kefir ist ein jahrtausendealtes Milcherzeugnis, das durch Gärung und Fermentation mit sogenannten Kefirkulturen entsteht. Das Getränk schmeckt leicht säuerlich, enthält etwas Kohlensäure und, je nach Temperatur während des Herstellungsprozesses, geringe Mengen Alkohol.

Das dickflüssige Milchgetränk stammt ursprünglich aus der Nordkaukasus-Region und wird als verdauungsfördernd, wohlschmeckend und bekömmlich geschätzt.

Zur Herstellung des Erfrischungsgetränks werden Kefirkulturen benötigt, auch Kefirknollen, Kefirpilz oder tibetanischer Pilz genannt. Es handelt sich dabei um Kulturen aus Hefen, Milchsäurebakterien und Essigsäurebakterien, die Milchzucker und andere Bestandteile der Milch verarbeiten und sich davon ernähren. Erhältlich sind sie zum Beispiel in verschiedenen Onlineshops. Preiswerter ist jedoch die Weitergabe unter Freunden und Bekannten oder in Gemeinschaften wie foodsharing.de, einer Seite der Sharing Economy, die sich dem „Teilen statt Wegwerfen von Lebensmitteln" verschrieben hat.

▶ Herstellung von Milchkefir

Zur Herstellung werden folgende Dinge benötigt:

2 EL	Kefirknollen
500 ml	Milch, etwa H-Milch, haltbare Vollmilch oder abgekochte Frischmilch
	sauberes Gärgefäß, beispielsweise ein Einmachglas mit Bügel-verschluss
	Plastiksieb
	Plastiklöffel

Die Herstellung ist einfach und funktioniert so:

1. Zimmerwarme Milch in ein sauberes, verschließbares Gefäß füllen und die Kefirknollen dazugeben (Plastiklöffel verwenden).

2. Gefäß verschließen und bei Zimmertemperatur lichtgeschützt aufbewahren.

3. Nach ein bis zwei Tagen durch ein Plastiksieb in eine Flasche oder Kanne zur Aufbewahrung gießen und kühl aufbewahren.

4. Kefirknollen unter kaltem Wasser vorsichtig ausspülen und für den nächsten Ansatz verwenden oder aufbewahren.

Fertig ist das selbst gemachte Kefirgetränk! Im Kühlschrank hält es sich einige Tage.

▶ Aufbewahrung der Milchkefirknollen

Solltest du einmal keinen frischen Kefir herstellen wollen, kannst du die Kefir-knollen im Kühlschrank aufbewahren. Dazu werden sie nach dem Ausspülen mit Wasser bedeckt und mit etwas Milchzucker bestreut. Durch Einfrieren können die Kulturen auch problemlos über längere Zeit aufbewahrt werden.

▶ Hinweise

Wenn du einige Kleinigkeiten beachtest, wirst du lange Freude an deinem Kefir-pilz haben.

- Immer auf Sauberkeit achten: Nur saubere Siebe und Löffel verwenden, Gläser gründlich auswaschen und Spülmittel-Reste ausspülen.

- Kefirkulturen sowie den Ansatz nicht mit den Fingern berühren, um Verunreinigungen zu vermeiden.

- Kefirknollen oder Ansatz niemals mit Metall in Kontakt bringen, denn dadurch werden die Kulturen unbrauchbar!

- Sollte der Ansatz einmal muffig riechen, durch ein Sieb gießen und die Flüssigkeit wegschütten. Die Knollen dann gut waschen und für zwei, drei Tage in einer Milchzuckerlösung aufbewahren. Dadurch erholt sich die Kultur meist schnell.

⊕ *smarticular.net/milchkefir*

Kombucha – fermentiertes Teegetränk

Die genaue Herkunft von Kombucha, auch Tibi und Combucha genannt, ist nicht nachgewiesen. Vermutlich stammen der Pilz und das mit ihm fermentierte Getränk ursprünglich aus Asien. Einige Quellen behaupten, dass in China schon vor 2000 Jahren mit Kombucha-Kulturen Erfrischungsgetränke auf Tee-Basis hergestellt worden seien.

Um die Heilwirkung des Kombuchapilzes wie auch um seine Herkunft ranken sich zahllose Mythen und Legenden. Er soll unter anderem dem Konsumenten ein ewiges Leben bescheren. In Russland, Japan und China, wo das moussierende Teegetränk schon seit einigen Jahrhunderten nachgewiesenermaßen verbreitet ist, wird der Pilz daher auch „Zauberpilz", „Wunderpilz" und sogar „göttlicher Pilz" genannt.

In Mitteleuropa hat sich das Erfrischungsgetränk erst seit dem beginnenden 20. Jahrhundert allmählich verbreitet. Seit einigen Jahren ist es hierzulande zum Modegetränk geworden.

▶ Qualität des selbst hergestellten und des gekauften Kombuchas

Mittlerweile kann man unter dem Etikett „Kombucha" selbst in Supermärkten und im Getränkehandel ein meist sehr süßes Brausegetränk finden, das jedoch mit dem ursprünglichen Trunk nicht mehr viel gemeinsam hat. Denn nur frischer Kombucha enthält biologisch aktive Mikroorganismen in großer Zahl. Beim Fertiggetränk muss die Gärung vor dem Abfüllen gestoppt werden. Frischer, vitaler Kombucha würde nach dem Abfüllen weiter fermentieren und sich innerhalb weniger Wochen in Essig verwandeln.

▶ Was ist Kombucha?

Streng genommen handelt es sich bei Kombucha gar nicht um einen Pilz, sondern – wie auch beim Wasserkefir (siehe Seite 154) – um eine symbiotische Lebensgemeinschaft verschiedener Milchsäure- und Essigsäurebakterien sowie Hefekulturen. Seine besondere Wirkung beruht auf der einzigartigen Kombination einer Vielzahl verschiedener Hefen und Bakterienstämme.

Gibt man die Kultur in frischen Tee, setzen verschiedene Gärprozesse ein, und ein spritziges, süß-saures Getränk entsteht, das im Geschmack ein wenig an Federweißen oder Apfelwein erinnert.

Die Bakterienstämme und Hefepilze des Kombuchas produzieren zahlreiche gesunde Inhaltsstoffe wie Milchsäure, Glukoronsäure, Essigsäure und B-Vitamine.

▶ Kombucha-Grundrezept

Für etwa einen Liter selbst gemachten Kombucha werden folgende Zutaten und Utensilien benötigt:

	Kombuchapilz-Kultur (erhältlich etwa über die Plattform foodsharing.de oder in spezialisierten Onlineshops)
1 L	Wasser
150 ml	fertiges Kombucha-Getränk (in dem die Kultur auch aufbewahrt und weitergegeben wird)
8 g	Tee (Schwarz- oder Grüntee)
90–100 g	Rohrzucker
	großes, breites Gefäß, z. B. ein Bügelverschlussglas. Je größer der Durchmesser, umso besser für den Pilz, da er sich an der Oberfläche der Flüssigkeit vermehrt.
	sauberes Küchentuch
	Gummiring

So gelingt's:

1. Wasser zum Kochen bringen, den Tee hineinstreuen und für 15 Minuten ziehen lassen.

2. Nach Ende der Ziehzeit den Zucker im Tee auflösen.

3. Tee auf Zimmertemperatur abkühlen lassen und in das Gärgefäß umfüllen.

4. Den Kombucha-Teepilz zusammen mit dem bereits vergorenen Kombucha-Getränk zum Tee in das Gärgefäß geben.

5. Das Gärgefäß mit einem luftdurchlässigen Küchentuch und einem Gummiring verschließen.

6. An einen warmen Ort (mindestens 21 °C) stellen und in den nächsten Tagen möglichst nicht bewegen.

7. Nach acht bis zehn Tagen kosten, ob das Getränk bereits ausreichend vergoren ist.

8. Durch ein Sieb in Flaschen füllen und kalt stellen.

Verschlossen im Kühlschrank aufbewahrt, bildet der Kombucha meist noch mehr Kohlensäure und wird besonders lecker.

Vorsicht: Überschüssige Kohlensäure muss noch entweichen können, sonst drohen platzende Flaschen!

▶ **Vermehrung der Kultur**

Während der Gärung entsteht innerhalb weniger Tage ein neuer Teepilz, der nach und nach die gesamte Oberfläche des Tees bedeckt und mehrere Zentimeter dick werden kann. Vor allem der zugefügte Zucker verschwindet nach und nach aus dem Getränk und wird in organische Säuren umgewandelt.

Tipp: Direkt nach dem Abgießen des fertigen Kombucha-Getränks kann neu angesetzt werden. Dazu ist es empfehlenswert, das Gärglas heiß auszuspülen und mit dem neu entstandenen Teepilz einen weiteren Ansatz herzustellen.

⊕ *smarticular.net/kombucha*

Kwas – gesunde Erfrischung aus Brot

Der schmackhaft prickelnde Brottrunk Kwas ist neben Wodka ein echtes russisches Nationalgetränk. Er ist äußerst erfrischend und ähnelt vom Aussehen her trübem Apfelsaft.

Das Getränk aus Brot und Wasser ist aufgrund der enthaltenen Milchsäurebakterien, Aminosäuren und Enzyme viel gesünder als andere Softdrinks und regt beim Verzehr den Stoffwechsel an. Kwas wird durch Fermentation von Schwarz- oder Roggenbrot, Quellwasser und Kräutern gewonnen, dabei entstehen auch geringe Mengen Alkohol. Manche Sorten werden auch aus Beerenobst, verschiedenen Getreidesorten oder auch Rüben hergestellt. Kwas wird hauptsächlich als Getränk konsumiert, ist aber auch eine Grundzutat für die „Okroschka", eine erfrischende, kalte Sommersuppe.

▶ Kwas aus altem Brot herstellen

Kwas ist nicht nur lecker und gesund. Seine Herstellung ist auch eine gute Möglichkeit, altes Brot aufzubrauchen.

Du brauchst:

750 g	trockenes Roggen- oder Schwarzbrot
4 L	kochendes Wasser und drei Esslöffel (45 ml) warmes Wasser
5 cm	frischen Ingwer, geschält und in dünne Scheiben geschnitten
1 EL	geriebene, frische Zitronenschale
50 g	Rosinen
125 g	Zucker
1 Pck.	Trockenhefe
	Mulltuch oder sauberes Küchentuch
	Glasflaschen mit Korken

Und so gehst du vor:

1. Brot in kleine Krümel zerbröseln und die Brotkrumen auf einem Backblech bei 180 °C eine halbe Stunde lang im Ofen rösten. Falls das Brot sehr alt und trocken ist, genügen 15 Minuten.

2. Vier Liter Wasser in einem großen Topf zum Kochen bringen.

3. Topf vom Herd nehmen, Brot dazugeben, kurz umrühren und dann zugedeckt fünf Stunden stehen lassen.

4. Ein Sieb mit einem Mull- oder Küchentuch auslegen und über einen sauberen Topf legen. Die Brot- und Wassermasse durchseihen und dabei mit einem Holzlöffel das Brot gut auspressen.

5. Hefe in drei Esslöffeln warmem Wasser auflösen, bis sie schäumt.

6. Wenn die Hefe gegangen ist, zusammen mit Zucker, Zitronenschale und Ingwer ins Brotwasser geben, mit einem Küchentuch abdecken und 8–12 Stunden stehen lassen.

7. Die Flüssigkeit wieder abseihen, um Ingwer und Zitronenschale zu entfernen, und in Glasflaschen füllen, jedoch nicht zu voll machen. Etwas Raum für den Fermentationsprozess frei lassen!

8. In jede Flasche einen Teil der Rosinen geben, verschließen und weitere zwei bis drei Stunden stehen lassen.

9. Zur abschließenden Reifung mindestens zwei bis drei Tage lang im Kühlschrank aufbewahren.

Fertig ist dein hausgemachter Kwas. Gekühlt serviert ist er köstlich!

Du kannst auch mit Würzzutaten experimentieren und Orangen- oder Zitronenschale statt Ingwer und Minze in die Flaschen geben, ganz nach deinem Geschmack.

🌐 smarticular.net/kwas

Naschen

Knackige Gemüsechips

Kartoffelchips sind unglaublich verführerisch, aber leider häufig auch ziemlich ungesund. Sie enthalten meist Geschmacksverstärker und Konservierungsstoffe, und wenn nicht, sind sie unverhältnismäßig teuer. Als gesündere Alternative kannst du aus Zucchini und Kartoffeln Gemüsechips zubereiten. Das geht erstaunlich einfach!

Benötigt werden:

500 g	Zucchini oder Kartoffeln, festkochend
2-3 EL	Olivenöl
	Salz, Pfeffer und weitere Gewürze nach Geschmack
	Topf oder große Schüssel mit Deckel
	Backbleche und Backpapier

So wird's gemacht:

1. Gemüse waschen, gut abtrocknen und in möglichst gleichmäßige, drei bis vier Millimeter dicke Scheiben schneiden.

2. Gemüsescheiben in einen Topf oder eine Schüssel legen, mit etwas Olivenöl beträufeln und nach Belieben würzen.

3. Topf oder Schüssel verschließen und kräftig schütteln! Dadurch verteilen sich Öl und Gewürze gleichmäßig.

4. Die Gemüsestücke nebeneinander auf mit Backpapier ausgelegte Backbleche verteilen, sodass sie nicht übereinanderliegen.

5. Im Backofen bei ca. 130–150 °C langsam backen, bis die Chips knusprig und leicht goldbraun sind. Dabei ab und zu die Ofenklappe öffnen, damit überschüssiger Dampf entweichen kann.

Fertig sind die selbst gemachten Chips! Mit den folgenden Tipps entsteht noch mehr aromatische Vielfalt:

- Andere Gemüsesorten lassen sich genauso zu Chips verarbeiten, zum Beispiel Rote Bete, Karotten und Pastinaken.

- Die notwendige Backzeit ist stark abhängig von der Dicke der Scheiben sowie von der Backtemperatur.

- Bei niedrigerer Temperatur dauert der Backvorgang länger, dafür wird das Ergebnis gleichmäßiger. Ist die Temperatur zu hoch, werden die Chips schnell dunkel oder verbrennen.

- Im Sommer lassen sich die Chips auch energiesparend in der Sonne trocknen. Das dauert zwar bis zu 12 Stunden, und die Chips werden nicht so goldbraun, das Ergebnis ist aber genauso schmackhaft.

In sauberen, verschlossenen Gläsern oder Dosen halten sich die fertigen Chips problemlos einige Wochen und können so auch auf Vorrat hergestellt werden.

⊕ smarticular.net/gemuesechips

Gesundes Popcorn

Selbst gemachtes Popcorn, egal ob süß oder salzig, ist nicht nur preiswerter als gekauftes Popcorn, sondern auch viel gesünder als das Pendant aus dem Laden. In Popcorn stecken nämlich nicht nur viele gesunde Ballaststoffe, sondern außerdem Antioxidantien, Folsäure, Vitamin C und Vitamin B. Das macht es sogar zu einem wertvollen Beitrag zur gesunden Ernährung.

Die in Popcorn enthaltenen Antioxidantien können freie Radikale im Körper abfangen und so den Alterungsprozess der Haut verzögern. Außerdem liefern 100 Gramm Popcorn stolze 13 Gramm Ballaststoffe, die für eine gesunde Verdauung wichtig sind. Ballaststoffe binden Wasser und quellen im Darm auf, sodass man länger satt bleibt. Wer bei der Zubereitung der Leckerei auf Öl, Butter oder Zucker verzichtet, hat mit Popcorn also einen Snack, der deutlich gesünder ist als anderes Knabberzeug.

▶ Welcher Mais ist geeignet?

Nicht jede Maissorte kann gepufft werden. Der Mais, der zu Popcorn verarbeitet werden kann, ist im Handel unter der Produktbezeichnung Puffmais erhältlich. Dessen Schale ist härter als bei normalem Mais, und die Körner sind gut getrocknet.

▶ Popcorn selber machen – so gelingt es fettfrei

Am gesündesten ist Popcorn, wenn du es ohne Öl herstellst. Dafür musst du nicht gleich eine Popcornmaschine kaufen. Auch auf dem Herd klappt es ganz einfach.

Dafür brauchst du nur zwei Dinge:

- beschichteten Topf mit Deckel
- Puffmais aus biologischem Anbau

So gehst du vor:

1. Den Boden des Kochtopfes mit Körnern bedecken.

2. Topf mit Deckel verschließen und den Herd auf die höchste Stufe schalten.

3. Topf hin und her bewegen, damit der Mais nicht anbrennt. Ein Elektroherd oder Cerankochfeld kann bei den ersten Ploppgeräuschen bereits abgeschaltet werden. Gasherd oder Induktionskochfeld niedriger stellen.

4. Sobald das Ploppen wieder nachlässt, ist das Popcorn fertig.

Bei der **fettfreien Zubereitung** haften Gewürze nicht so gut am Mais, wenn er bereits zu kalt ist. Daher gilt: Je schneller die Gewürze auf das heiße Popcorn treffen, desto besser. Tipp: Gewürze und heißen Mais in ein verschließbares Gefäß geben und kräftig schütteln.

Das würzige Popcorn ist übrigens nicht so lange haltbar wie die süßen Varianten. Auch luftdicht verschlossen, verliert es nach ein paar Wochen den Biss. Dagegen hilft nur, es schnell aufzuessen!

▶ Rosmarin-Popcorn mit Pfeffer und Parmesan

Wer keine Angst vor ein paar Kalorien hat, kann eine Popcorn-Gewürzmischung auch mit gesunden Ölen wie Kokos-, Raps-, Erdnuss- oder Olivenöl herstellen.

Dafür werden benötigt:

1 Tasse Popcorn-Mais

1 Tasse geriebener Parmesan

4 EL Olivenöl

4 TL fein gehackte Rosmarin-Zweige

1 Prise schwarzer Pfeffer oder Tabasco

So wird's gemacht:

1. Rosmarin und Olivenöl vermengen. Je nach Geschmack etwas Tabasco dazugeben.

2. Auf das noch heiße Popcorn den Parmesan streuen.

3. Die Rosmarin-Olivenöl-Mischung dazugeben.

4. Mit schwarzem Pfeffer abschmecken.

5. Damit sich die Aromen gut entfalten, etwa 15 Minuten lang abkühlen lassen.

▶ Amaranth als Alternative zu Mais

Vegetarier und Veganer nutzen Amaranth gern als pflanzlichen Eiweißlieferanten. Die kleinen Samenkörner lassen sich aber auch gut als Mini-Popcorn naschen. Amaranth kannst du am besten in einer beschichteten Pfanne aufpuffen.

So geht's:

1. Den Herd auf die höchste Stufe stellen.

2. Einen Teelöffel Amaranth in eine Pfanne geben. Abwarten, bis das Aufpuffen beginnt. Dabei die Pfanne auf dem Herd hin und her bewegen, damit die Samen nicht anbrennen.

3. Ist das Aufpuffen beendet, den Inhalt der Pfanne in eine Schüssel geben und die Pfanne sofort wieder auf den heißen Herd stellen.

4. Nun kann noch mehr Amaranth aufgepufft werden. Du solltest jedoch nie mehr als einen Teelöffel der Samen je Vorgang verwenden.

Du kannst dein Popcorn mit unzähligen Kräutern und Gewürzen aromatisieren. Versuche doch einmal Frühlingszwiebeln, getrocknete Tomaten, Knoblauch und Basilikum!

⊕ *smarticular.net/popcorn*

Schokolade

Schokolade macht glücklich – so viel steht fest. Leider besteht herkömmliche Schokolade oft aus raffiniertem Zucker und gesättigten Fettsäuren. Gesünder wird es, wenn man Schokolade selbst herstellt.

Du benötigst:

125 g Kakaobutter oder Kokosöl

50 g reines Kakaopulver

2 EL Agavendicksaft oder eine andere Süße

Mark einer Vanilleschote für einen noch feineren Geschmack (optional)

gehackte Nüsse, Rosinen, getrocknete Beeren nach Belieben (optional)

So gelingt's:

1. Kakaobutter oder Kokosöl bei geringer Hitze im Wasserbad schmelzen. Das Wasser sollte nicht wärmer als 50 °C sein.

2. Kakao unterrühren und mit Agavendicksaft abschmecken.

3. Rühren, bis eine gleichmäßig cremige und klümpchenfreie Konsistenz entsteht. Je länger, desto besser!

4. Masse in eine geeignete Form gießen und mit den gewünschten Zutaten belegen.

5. Mindestens zwei Stunden lang im Kühlschrank fest werden lassen.

6. Aus der Form pressen und Stück für Stück genießen.

Tipp: Die selbst gemachte Schokolade solltest du am besten im Kühlschrank aufbewahren, da sie schneller schmilzt als industriell hergestellte Schokolade. Im Kühlschrank bleibt sie außerdem länger haltbar.

Das Grundrezept kannst du auch weiter variieren:

- Verwende mehr Kakao für eine besonders dunkle Schokolade.

- Verfeinere deine Schoki mit gehackten Pistazien sowie ganzen oder gehackten Haselnüssen.

- Chili passt hervorragend zu Schokolade!

- Trockenfrüchte wie Maulbeeren, Datteln und Rosinen geben deiner Schokolade etwas Exotisches.

- Knusprig wird es mit karamellisierten (Wal-)Nüssen.

- Auch Haferflocken oder Cornflakes lassen es knuspern.

- Mit Kokosraspeln wird es tropisch-köstlich.

- Mit Zimt, Kardamom oder auch etwas Muskat zauberst du eine Winterschokolade.

- Für ein feines, an Marzipan erinnerndes Aroma füge der noch flüssigen Mischung einen Schuss Amaretto hinzu.

Ob süß, scharf oder würzig – du kannst deine selbst gemachte Schokolade ganz nach deinen Vorlieben aromatisieren. Übrigens ist die Schokolade, hübsch dekoriert (beispielsweise mit essbaren, getrockneten Blüten), auch ein tolles Mitbringsel für Freunde und Familie.

⊕ *smarticular.net/schokolade*

Tricks fürs Plätzchenbacken

Nicht nur zur Weihnachtszeit ist ein Keks oder Plätzchen hier und da ein Genuss. Doch Gebäck aus dem Supermarkt heißt immer viel Verpackung für nur 100 Gramm Süßes, und der Geschmack der Industrieprodukte ist oft nicht der, den wir uns versprechen.

Warum also nicht gleich selbst backen? Gerade mit Kindern macht das besonders viel Spaß! Damit die Backaktion nicht zu kompliziert wird und sich das Chaos in der Küche in Grenzen hält, haben wir einige Tricks gesammelt, mit denen du einfach und schnell köstliche Plätzchen zauberst.

▶ Rädchen anstatt Ausstechförmchen

Jedes Kind liebt Ausstech-Plätzchen und verwendet gern möglichst viele verschiedene Formen. Als Erwachsene beschränken wir uns lieber auf ein Förmchen, das, knapp aneinandergereiht, möglichst wenig Verschnitt verursacht.

Doch es geht auch ganz ohne wiederholtes Ausrollen, Ausstechen, Kneten und erneutes Ausrollen. Verwende anstelle von Ausstechformen einfach ein gerades oder gezacktes Teigrädchen, mit dem du hübsche Rechtecke, Dreiecke oder Rauten produzierst. Noch schneller geht es mit dem mehrfachen Pastarädchen! Für diese Methode sind alle Ausrollteige geeignet.

Zum Beispiel Gewürzspekulatius! Dieser Klassiker darf auf keinem Weihnachtsteller fehlen.

Du brauchst:

250 g	Mehl
100 g	Zucker
150 g	Butter oder Margarine
2 EL	Ahornsirup
1 TL	gemahlenen Ingwer
½ TL	gemahlenen Zimt
½ TL	gemahlene Nelken
½ TL	geriebene Muskatnuss
½ TL	Natron

So wird der Teig zubereitet:

1. Zucker, Sirup und weiche Butter mit dem Mixer oder Schneebesen aufschlagen.

2. Mehl, Natron und Gewürze hinzugeben und gut untermischen.

3. Vier Teigkugeln formen und zugedeckt für eine Stunde kaltstellen.

4. Den Teig etwa drei Millimeter dünn ausrollen und mit dem Teigrädchen in beliebige Formen schneiden.

5. Mit einem bemehlten Messer die Plätzchen auf ein mit Backpapier ausgelegtes Backblech legen.

6.   Bei 180 °C (Umluft 160 °C, Gas Stufe 3) 10–12 Minuten lang backen.

▶ Gepresste Rollen und Kugeln

Immer nur runde, flache Kekse sind auf Dauer langweilig. Um etwas mehr Vielfalt auf dem bunten Teller zu haben, bietet sich die Rolltechnik an. Dabei wird der Teig zu kleinen Kugeln oder Rollen oder auch Kipferln oder Hörnchen gerollt und anschließend etwas flach gedrückt.

Probiere es doch mal mit diesem **Schoko-Orangen-Rezept**! Du benötigst:

200 g	Mehl
100 g	Zucker
60 g	Speisestärke
100 g	Zartbitter-Schokolade
125 g	Butter oder Margarine
1 Pck.	Vanillezucker
1 TL	Backpulver
1	unbehandelte Orange
1	Ei

So gelingt's:

1. Orange heiß abspülen, abtrocknen und die Schale abreiben.

2. Schokolade mit einem scharfen Messer zerteilen und in Stückchen hacken.

3. Mehl, Speisestärke, Backpulver, Zucker und Vanillezucker in einer Schüssel mischen, Abrieb der Orangenschalen, Schokoladenstückchen und weiche Butter dazugeben.

4. Alle Zutaten gut verkneten und für etwa 30 Minuten zugedeckt kalt stellen.

5. Teig in haselnussgroße Kugeln oder zwei bis drei Zentimeter kurze, fingerdicke Rollen formen. Röllchen auf ein mit Backpapier ausgelegtes Backblech legen und etwas flach drücken.

6. Bei 175 °C (Umluft 150 °C oder Gas Stufe 2) 15–17 Minuten backen.

▶ Lebkuchen vom Blech

Lebkuchen sind ebenfalls sehr schnell gemacht. Der Teig wird wie ein Blechkuchen auf einem Backblech gebacken. Anschließend wird das Backwerk mit einem Zuckerguss und Nüssen dekoriert und zum Schluss mit dem Messer in Stücke geschnitten.

Benötigte Zutaten:

400 g	Mehl
175 g	Zucker
50 g	gemahlene Nüsse
50 g	Kakaopulver
150 ml	Rapsöl
150 ml	Milch oder vegane Alternative
1 Pck.	Vanillezucker
1 Pck.	Lebkuchenge-würz
1 TL	gemahlener Zimt
3 TL	Backpulver
4	Eigelb
1 Prise	Salz
	ganze oder ge-hackte Nüsse

Sowie für den Zuckerguss:

175 g	Puderzucker
3–4 EL	Wasser

So funktioniert's:

1. Öl, Zucker, Vanillezucker, Eigelb und Salz schaumig rühren.

2. Restliche Zutaten zugeben und vermischen.

3. Die Masse auf einem mit Backpapier ausgelegten Backblech verteilen und mit den Händen oder einem Nudelholz festdrücken.

4. Nüsse darauf verteilen und den Lebkuchen bei 180 °C (Umluft 160 °C, Gas Stufe 3) für etwa 20 Minuten backen.

5. Puderzucker und Wasser zu einem Guss verrühren und auf dem erkalteten Lebkuchen verteilen.

6. Nach dem Trocknen des Zuckergusses das Backwerk in Quadrate oder Rauten schneiden.

Fertig sind die leckeren Lebkuchenplätzchen.

▶ Scheiben statt Kugeln

Plätzchen oder Kekse kannst du auch ohne Teigausrollen oder Ausstechen herstellen. Dazu eignen sich Teige, die in Rollen formbar sind und nicht dünn gebacken werden müssen. Von den vorgeformten Rollen werden vor dem Backen dünne Scheiben abgeschnitten.

Probiere das doch einmal mit diesen **Schoko-Chili-Vulkanen**.

Du brauchst:

400 g	Mehl
320 g	Butter oder Margarine
220 g	Zucker
40 g	Kakaopulver
1–2 TL	Chiliflocken
2 TL	Backpulver
½ TL	Salz

So wird's gemacht:

1. Mehl, Kakao, Backpulver, Chiliflocken und Salz in einer Schüssel mischen.

2. Butter und Zucker cremig rühren und mit den restlichen Zutaten zu einem Teig verkneten.

3. Mit den Händen daumendicke Würste rollen. Richtig „vulkanartig" werden sie, wenn sie gleich warm weiterverarbeitet werden. Ansonsten den Teig zugedeckt für 30 Minuten kalt stellen.

4. Von der Rolle einen bis anderthalb Zentimeter dicke Scheiben abschneiden und auf ein mit Backpapier ausgelegtes Backblech legen.

5. Bei 180 °C (Umluft 160 °C, Gas Stufe 3) acht bis zehn Minuten lang backen.

▶ Makronen

Sehr beliebt sind zur Adventszeit auch die schnellen, locker-leichten Makronen.

Du benötigst:

250 g	Puderzucker
300 g	gemahlene Haselnüsse
1 Pck.	Vanillezucker
1 TL	Zimt
3	Eiweiß

So geht's:

1. Eiweiß steif schlagen, Puderzucker und Vanillezucker unter ständigem Rühren einrieseln lassen.

2. Zimt und Nüsse unter die Masse heben und mit zwei Teelöffeln Häufchen auf ein mit Backpapier ausgelegtes Backblech setzen.

3. Bei 130 °C (Umluft 100 °C, Gas Stufe 1) im Backofen 20–30 Minuten lang backen.

4. Abkühlen lassen und mit einem Messer vom Backpapier lösen.

▶ Ganz ohne Backen

Süße Leckereien auf die Schnelle gibt es auch ganz ohne Backen – mit diesen selbst gemachten Schokoflakes!

Es werden benötigt:

250 g Vollmilch-Kuvertüre

250 g Zartbitter-Kuvertüre

100 g Cornflakes

100 g kernige Haferflocken

100 g gehackte Mandeln

So gelingt's:

1. Haferflocken und Mandeln in einer Pfanne ohne Fett bei mittlerer Temperatur rösten und abkühlen lassen. Cornflakes etwas zerbröseln.

2. Die Kuvertüre im Wasserbad schmelzen.

3. Alle Zutaten in eine Schüssel geben und gut verrühren.

4. Kleine Kleckse mit zwei Teelöffeln auf ein Backpapier setzen und erkalten lassen.

⊕ *smarticular.net/schnelle-plaetzchen*

Gesunde Rohkost-Kekse

Wer sich vegan oder sogar nur rohköstlich ernährt, wird diese Plätzchen lieben! Das Rezept ist kinderleicht nachzumachen und kommt völlig ohne Mehl, Butter, Ei und vor allem ohne Backen aus. Das Ergebnis ist ein leckerer Rohkost-Snack, der den Vergleich mit gebackenen Plätzchen nicht zu scheuen braucht.

Für circa 400 Gramm Plätzchen brauchst du:

200 g Trockenfrüchte

200 g Mandeln

Agavendicksaft

So wird's gemacht:

1. Mandeln für 12 bis 24 Stunden in Wasser einweichen, dann fein hacken.

2. Früchte grob zerkleinern.

3. Früchte und Mandeln vermengen und mit dem Stabmixer zu einem glatten Teig verarbeiten.

4. Richtige Konsistenz herstellen: Ist der Teig zu weich bzw. klebrig, ergänze mehr gehackte oder auch gemahlene Mandeln. Ist er zu trocken, füge nach und nach etwas Agavendicksaft hinzu.

5. Teig zwischen zwei Lagen Backpapier ausrollen oder flach drücken.

6. Nach Belieben ausstechen oder mit dem Messer in die gewünschte Größe schneiden.

7. Kekse auf Backpapier verteilen.

8. Im Dörrautomaten für 12–24 Stunden bei 40 °C (Rohkost) trocknen. Zwischendurch testen, damit sie nicht zu hart werden. Wer es nicht zwingend rohköstlich haben möchte, kann die Temperatur erhöhen und damit die Trocknung beschleunigen (sechs Stunden bei 60 °C oder vier Stunden bei 80 °C).

Fertig ist der vegane oder sogar Rohkost-Snack!

▶ Alternative zum Dörrautomaten

Um Früchte zu dörren oder Rohkost-Produkte herzustellen, ist ein Dörrautomat praktisch. Es geht aber auch mit dem Backofen. Wir haben festgestellt, dass unser Umluft-Backofen genau 40 °C erreicht, wenn nur dessen Lampe eingeschaltet ist. Im Umluftbetrieb (ohne Heizung, nur mit Backofenlicht) und mit der Tür einen Spaltbreit geöffnet (Kochlöffel dazwischenklemmen), fungiert der Backofen somit als Alternative zum Dörrautomaten.

▶ Variationen

Wer es schokoladig mag, kann die Plätzchen mit etwas Kakao zu Schoko-Cookies verfeinern.

Anstelle von Mandeln können nach Geschmack auch andere Nüsse allein oder gemischt verwendet werden, etwa Cashewkerne, Haselnüsse und Walnüsse.

Ergänze den fertigen Teig um grobe Haselnuss- oder Mandelstückchen für ein knackiges Nuss-Erlebnis.

⊕ *smarticular.net/rohkost-plaetzchen*

Kandierter Ingwer als heilsamer Snack

Es gibt viele Möglichkeiten, die Heilkräfte des Ingwers zu nutzen. Eine etwas andere Art der Zubereitung ist das Kandieren von Ingwer. Mit Zucker kannst du frischen Ingwer länger haltbar machen und kleine Snacks für unterwegs kreieren. In dieser süßen Form, ähnlich wie Hustenbonbons, naschen sogar Kinder gern Ingwer. Die kandierten Snacks sind außerdem besonders hilfreich auf langen Autofahrten oder Bootstouren, denn Ingwer ist ideal geeignet, um Reise- und Seekrankheit zu lindern!

▶ Ingwer richtig kandieren

Um frischen Ingwer zu kandieren, bedarf es etwas Zeit und Ruhe. Der Aufwand lohnt sich aber auf jeden Fall, denn das Ergebnis ist unwiderstehlich lecker. Wenn es doch schneller gehen soll, dann findest du im Anschluss eine verkürzte Zubereitungsvariante.

Für den kandierten Ingwer benötigst du folgende Zutaten:

200 g frischen Ingwer

300 g Zucker

2 Scheiben von einer Zitrone (optional)

Zuerst wird der Ingwer folgendermaßen vorbereitet:

1. Ingwer schälen. Am einfachsten funktioniert das, indem du mit einem Löffel die Schale abschabst. Das geht schnell, und du vermeidest unnötige Verschwendung der wertvollen Knolle.

2. Geschälten Ingwer in Scheiben, Streifen oder Würfel schneiden.

3. In einen Topf geben und mit Wasser bedecken.

4. Kurz aufkochen und dann 15–30 Minuten köcheln lassen, bis der Ingwer gar ist.

Die folgenden Schritte werden fünfmal wiederholt. Zwischen jeder Ausführung sollte der Ingwer 12–24 Stunden ziehen, damit er mittels Osmose durch und durch vom Zucker durchzogen und auf diese Weise konserviert wird.

1. 30 Gramm Zucker je 100 Gramm Ingwer in den Topf geben.

2. Langsam aufkochen lassen und dann Hitze reduzieren.

3. Unter gelegentlichem Umrühren etwa 20 Minuten sanft köcheln lassen.

Im zweiten Durchgang werden optional Zitronenscheiben zur Mischung dazugegeben, um den Geschmack zu verfeinern.

Nach dem letzten Aufkochen sollte der Ingwer bis zu eine Stunde köcheln, bis er glasig geworden ist. Breite ihn anschließend auf Backpapier aus und lass ihn trocknen. Er schmeckt bereits sehr gut, aber in etwas Zucker gerollt, wird er noch fürs Auge aufgewertet.

▶ Ingwer schnell kandieren

Wenn es schnell gehen soll, kannst du den ganzen Prozess auch stark verkürzen. Verwende dafür die doppelte Menge Wasser und gib alle Zutaten in einen Topf. Nach kurzem Aufkochen sollte die Mischung unter gelegentlichem Rühren so lange köcheln, bis das Wasser fast vollständig verdampft und der Ingwer glasig ist.

Bei dieser Methode ist es ratsam, den Ingwer in dünne Streifen zu schneiden. Je dicker die Stücke sind, umso länger dauert der Prozess.

> **Hinweis:** Kandierter Ingwer ist eine köstliche Leckerei mit zahlreichen Heilwirkungen, enthält aber auch jede Menge Zucker. Aus diesem Grund sollten immer nur geringe Mengen davon auf einmal gegessen werden – bei Hustenbonbons würde auch niemand die ganze Packung auf einmal vernaschen.

⊕ smarticular.net/ingwer-kandieren

Eiscreme aus nur einer Zutat

Lust auf Eiscreme? Kein Problem! Denn aus gefrorenen Bananen lässt sich wunderbar cremiges Eis herstellen. Und das Beste: Bananeneis ist nicht nur kostengünstig, sondern auch noch gesund – ein purer Genuss ohne schlechtes Gewissen.

Für zwei Portionen Bananeneis brauchst du:

   5 Bananen

   Mixstab oder Standmixer

So funktioniert's:

1. Bananen schälen, in Scheiben schneiden und im Gefrierschrank einfrieren, am besten über Nacht.

2. Gefrorene Bananen mit dem Mixer cremig pürieren.

Fertig ist die leckere, milchfreie Alternative zu herkömmlichem Speiseeis!

Bei Bedarf kannst du ein wenig Wasser oder Pflanzenmilch hinzufügen oder die Bananen zunächst etwas antauen lassen, sodass sie auch ein etwas schwächerer Mixer problemlos zerkleinern kann. Zwischendurch solltest du gegebenenfalls kleine Pausen einlegen und die Masse mit einem Löffel etwas umrühren, damit der Mixer alles greifen kann.

Das Bananeneis ist so schon sehr lecker. Aber auch diese Varianten sind möglich:

- Einen Esslöffel Kakao mit untermengen für cremiges Schokoladeneis.

- Blaubeeren oder Erdbeeren mit in den Mixer geben oder kleine Fruchtstücke unter das fertige Eis rühren.

- Ein Esslöffel Mandelmus ergibt köstliches Mandeleis.

- Obststückchen als Topping auf das Eis geben.

Du kannst auf diese Weise so gut wie jede Sorte Eis einfach herstellen. Wie wäre es mit einem Vanille-, Pistazien- oder Espresso-Eis?

⊕ *smarticular.net/bananeneis*

Sahnige Eiscreme ohne Eismaschine

Sahnige Eiscreme ist das ganze Jahr über ein Hochgenuss. Wer sich bewusst ernährt, muss auf diese Köstlichkeit nicht verzichten, denn bei selbst gemachter Eiscreme weiß man genau, was drin ist. Damit das Ergebnis besonders cremig wird, verwendet man am besten eine Eismaschine, aber mit diesem Rezept geht es auch ohne.

Für vier große Portionen Eis brauchst du:

500 g	Früchte (frisch oder gefroren)
200 ml	Schlagsahne
150 g	Zucker
150 g	Naturjoghurt
	Saft einer halben Zitrone (außer bei sauren Früchten)
	Vanille oder Vanillezucker nach Belieben

So gelingt's:

1. Früchte waschen, putzen, in zwei bis drei Zentimeter große Stücke zerkleinern und im Tiefkühlfach einfrieren (falls du nicht schon Tiefkühlobst verwendest).

2. Gefrorene Früchte mit Zucker, Joghurt und gegebenenfalls Zitronensaft mischen.

3. Alles zusammen mit einem leistungsfähigen Standmixer pürieren.

4. Sahne steif schlagen und nach Belieben mit Vanille/Vanillezucker verfeinern.

5. Sahne vorsichtig unter die pürierten Früchte heben.

6. Eiscreme-Masse im Tiefkühlfach einfrieren.

7. Vor dem Servieren noch einmal kräftig durchrühren oder je nach Konsistenz mit dem Mixer kneten, damit das Eis schön cremig wird.

Tipp: Für ein noch cremigeres Ergebnis solltest du die Masse während des Einfrierens ab und zu kräftig rühren.

🌐 smarticular.net/einfache-eiscreme

Auf zum Selbermachen!

Wir hoffen, dass dieses Buch dich ein wenig inspiriert hat und deine Neugier für alternative Lösungsansätze geweckt oder verstärkt hat. Selbst wenn du nur einige wenige der Ideen in deinen Alltag aufnimmst, hat das Buch sein Ziel erreicht.

Ganz besonders freuen wir uns über Rückmeldungen unserer Leser. Wir lernen ständig dazu, erweitern und optimieren regelmäßig die Rezepte. Damit du immer auf dem neuesten Stand bleibst, empfehlen wir dir den Besuch der Seite:

⊕ *smarticular.net/selber-machen-kueche*

Dort findest du aktuelle Informationen zum Buch, kannst Anmerkungen, Lob oder Kritik hinterlassen, Fragen an uns richten und wichtige Verbesserungen zu einzelnen Tipps nachlesen.

Viele Rezepte in diesem Buch sind mit Verweisen zu Beiträgen auf smarticular.net versehen. Wenn du sie besuchst, kannst du zu jedem Beitrag Bilder und die aktuellsten Informationen erhalten sowie hilfreiche Kommentare anderer Leser verfolgen.

Selbstverständlich freuen wir uns, wenn dich andere Themen auf smarticular. net interessieren. Damit du immer auf dem Laufenden bleibst, empfehlen wir dir, unseren Newsletter über die Webseite zu abonnieren und uns in den sozialen Netzwerken zu folgen.

Unverpackt-Läden

Viele Zutaten zum Selbermachen findest du unverpackt zum Abfüllen in selbst mitgebrachte Gefäße in einem der vielen Unverpackt-Läden. Eine Karte mit allen uns bekannten Läden findest du unter:

🌐 *smarticular.net/verzeichnis*

Bildverzeichnis

Cover Bild u. Gestaltung: Sebastian Knecht

Alle Fotos smarticular.net außer:

shutterstock.com: S. 13 u. U2 Premium Photography / S. 18 D. Pimborough/ S. 21 Viktor1/ S. 23 u. U2 Nik_svoboden/ S. 31 Lilyana Vynogradova/ S. 41 AnjelikaGr/ S. 45 Alp Aksoy/ S. 46/ U2 und U4 Chamille White/ S. 51 u. S. 153 rechts HandmadePictures/ S. 53 u. U2 ratmaner/ S. 54 zoryanchik/ S. 59 oben ferojay/ S. 59 unten mimohe/ S. 60 oben nada54/ S. 61 unten Andris Tkacenko/ S. 62 Dudaeva/ S. 63 links twinsmom/ S. 63 rechts Petr Bukal/ S. 64 Oliver Hoffmann/ S. 84 oben lantapix/ S. 84 unten Julija Sapic/ S. 85 Oksana Shufrych/ S. 86 Magdalena Paluchowska/ S. 92 CatchaSnap/ S. 122 links Kittibowornphatnon/ S. 122 rechts Bildagentur Zoonar GmbH/ S. 127 u. U4 vanillaechoes/ S. 129 A_Lein/ S. 144 Syda Productions/ S. 149 kisa2014/ S. 152 morisfoto/ S. 153 links Ganihina Daria/ S. 161 Daniel S Edwards/ S. 164 links Alexey Borodin/ S. 164 rechts Evgeny Tomeev/ S. 168 Brent Hofacker/ S. 188 u. U3 Vorontsova Anastasiia

Selber machen statt kaufen – Haut & Haar
137 Rezepte für natürliche Pflegeprodukte, die Geld sparen und die Umwelt schonen

Für beinahe jeden Körperteil finden sich in Drogerie und Supermarkt ganze Regalreihen spezialisierter Reinigungs- und Pflegeprodukte. Doch was verbirgt sich in all den langen Zutatenlisten? Bei der Mehrzahl sind es überwiegend synthetische Inhaltsstoffe, häufig auf Basis von Mineralölen, die im Verdacht stehen, Abhängigkeitserscheinungen hervorzurufen und Allergien, Krebs und andere Erkrankungen auszulösen. Mit einfachen Mitteln lassen sich viele Produkte einfach und preiswert selber machen - frei von synthetischen Inhaltsstoffen und mit weniger Verpackungsmüll.

ISBN: 978-3-946658-09-2
smarticular Verlag, 2018

Fünf Hausmittel ersetzen eine Drogerie
Einfach mal selber machen! Mehr als 300 Anwendungen und 33 Rezepte, die Geld sparen und die Umwelt schonen

Mit Natron, Soda, Essig, Zitronensäure und Kernseife lassen sich fast alle Drogerieprodukte ersetzen und viele Herausforderungen des Alltags lösen. Über 300 Anwendungen und 33 Rezepte zeigen, wie einfach es geht. Deodorant für die ganze Familie aus nur drei einfachen Zutaten, Bio-Waschmittel zu einem Bruchteil der sonst üblichen Kosten, Allzweckreiniger und Zahncreme – das alles und noch viel mehr kann jeder zu Hause leicht selbst herstellen und nebenbei eine ganze Menge Geld, Verpackungsmaterial und unnötige Chemikalien einsparen.

ISBN: 978-3-946658-00-9
smarticular Verlag, 2. akualisierte, erweiterte Ausgabe, 2018

Grüner Faden
Der grüne Jahresplaner für ein einfaches und nachhaltiges Leben

Wann habe ich endlich Zeit für mich? Und wie schaffe ich es, ein bisschen achtsamer und grüner zu leben? – Wenn du dir auch manchmal diese Fragen stellst, dann ist es an der Zeit für etwas Neues! Der Grüne Faden ist weit mehr als nur ein Planer. Ein Buch voller grüner Ideen und Möglichkeiten, mit jeder Menge Platz für dich! Mit durchdachtem Ordnungssystem, zahlreichen Verwendungsmöglichkeiten und über 200 nachhaltigen Rezepten und Tipps passt sich der Lebensplaner an deine Bedürfnisse an. Rezeptbuch, „Denkarium", Haushaltsbuch, Termin- und Aufgabenplaner, Familienplaner, Tagebuch … das und mehr ermöglicht der Grüne Faden.

ISBN: 978-3-946658-15-3
smarticular Verlag, 2018

Plastiksparbuch
Mehr als 300 nachhaltige Alternativen und Ideen, mit denen wir der Plastikflut entkommen

Plastikmüll, der sich zu Millionen Tonnen in der Umwelt anreichert, gehört zu den größten Herausforderungen unserer Zeit. Dabei ist gesundheitsschädliches oder kurzlebiges Plastik fast immer leicht vermeidbar! Alle wichtigen Fakten rund um Plastik und die Probleme, die es verursacht, haben wir im Plastiksparbuch zusammengestellt. Dazu gibt es über 300 Rezepte, Anleitungen und Ideen, die zeigen, wie einfach Plastiksparen im Alltag sein kann. Mit 288 Seiten und über 300 Abbildungen ist das Plastiksparbuch das bisher umfangreichste und informativste aller smarticular-Bücher.

ISBN: 978-3-946658-33-7
smarticular Verlag, 2019